Collection OUTILS

Jean MATHIEX

Histoire
de France

Eva Krumbe
novembre 1984

Hachette

Préface

Qu'on ne s'attende pas à trouver ici une histoire complète et détaillée de la France. L'ambition de ce petit livre est autre : donner au lecteur une image d'ensemble exacte des grands événements et des périodes les plus importantes qui ont mis leur marque dans l'histoire nationale française. Mais il s'agit également de situer ces faits, de montrer en quoi ils ont influencé le cours des temps et comment ils ont contribué à former la civilisation française dans son originalité.

C'est pourquoi chaque chapitre est accompagné de brèves rubriques, qui mettent en valeur le rôle d'un personnage, d'un courant de pensée, d'une suite d'événements. De place en place, au terme de chaque période, un **passé présent** évoque ce qui constitue son héritage, parvenu jusqu'à nous, au point souvent d'influencer notre vie quotidienne sans que nous nous en rendions compte.

Une **chronologie,** tout à la fin, et quelques cartes donnent à l'ensemble un cadre des faits évoqués, une trame précise.

Les mots difficiles du langage courant sont expliqués en note au bas de chaque page ; mais les termes liés à l'histoire et à la culture sont regroupés dans un **index** en fin de volume.

ISBN : 2.01.007407.6

© Hachette, 1981 - 79, boulevard Saint-Germain - F 75006 PARIS.

Table des matières

Des « hommes sans nom »
aux Gallo-Romains

● *Depuis quand y a-t-il des hommes en France ?*

C'est un Français, Boucher de Perthes, qui a inventé **la Préhistoire humaine,** il y a un siècle et demi. Il fut le premier à prouver que les **galets taillés,** ces pierres rondes que l'on a trouvées sur les bords de la Somme (un fleuve au nord de la France), n'étaient pas d'origine naturelle, mais avaient été façonnés, taillés, par les « hommes antédiluviens », c'est-à-dire « d'avant le Déluge » biblique. Depuis, on a retrouvé non seulement de très nombreux **outils** datant d'époques encore bien plus lointaines, mais aussi des **ossements fossiles** et de véritables **œuvres d'art,** sculptées ou peintes. Les outils de pierre, les plus anciens témoins de l'existence humaine, remontent à au moins 2,5 millions d'années. Seules l'Afrique (sûrement) et l'Asie (probablement) ont été peuplées plus tôt que l'Europe.

● *Quels hommes ?*

On ne connaît les plus anciens que par **leur outillage** et les quelques traces de leur vie qui ont résisté à l'usure du temps : les dents des animaux dont ils se nourrissaient, par exemple, ce qui permet d'affirmer que **ces premiers hommes chassaient.** Ils connaissaient aussi **le feu,** savaient l'utiliser mais pas encore l'allumer. Des morceaux de crânes découverts tout récemment dans une grotte des Pyrénées nous permettent d'imaginer la tête de notre lointain ancêtre : bouche ressemblant à un museau d'animal, front bas et penché en arrière, yeux enfoncés, mâchoires et dents puissantes ; mais quel petit cerveau !

Ce sont peut-être ces hommes qui ont construit, dans une grotte près de Nice, un abri que les archéologues ont pu reconstituer : il était fait de peaux de bouquetins — sortes de chèvres sauvages — tendues sur de longs bâtons appuyés contre la paroi rocheuse.

D'autres hommes ont pris la suite des premiers, il y a environ 80 000 ans, peut-être à la suite d'une invasion. Appelés hommes de Néanderthal — du nom de l'endroit où furent trouvés, en Allemagne, les premiers ossements de ce type humain —, ils ont vécu en nombre certainement plus élevé que leurs prédécesseurs•. On a retrouvé plusieurs squelettes qui nous donnent une idée de leur allure : une taille moyenne (1 m 60), mais des muscles puissants, une tête aux fortes machoires, au nez plat et au front penché en arrière, d'énormes os au-dessus des yeux. Mais cette fois le cerveau est aussi important et développé que celui de nos contemporains•. **Adroits à la chasse et à la pêche,** les hommes de Néanderthal savent déjà très bien **exploiter la nature** et sont animés de **sentiments religieux,** ou proches de la religion : ils enterrent leurs morts en respectant des rites• compliqués. Beaucoup plus proches de nous (40 ou 30 000 ans seulement !) apparaissent les hommes de Cro-Magnon, du nom d'une grotte de Dordogne. Les ossements qu'on y a découverts sont à peu de chose près identiques à ceux des hommes actuels. Les Français d'aujourd'hui sont probablement leurs lointains descendants.

• *prédécesseur* : celui qui vient avant.
• *contemporain* : qui est du même temps (Musset et George Sand étaient contemporains) ; d'aujourd'hui : les problèmes contemporains.
• *rite* : ensemble des règles et des cérémonies qui se pratiquent dans une religion.

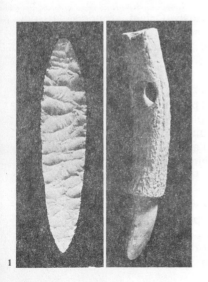

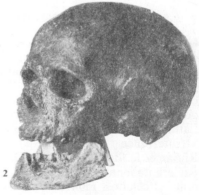

1. *Outils du Paléolithique supérieur.* A gauche, lame allongée « feuille de laurier » (— 15000 env.) et, à droite, hache en silex dans sa gaine de bois de cerf.

2. *Le vieillard de Cro-Magnon.* Son squelette fut découvert dans un abri aux Eyzies (Dordogne) en 1868. (Musée de Saint-Germain).

Dolmen (« pierre-table ») à l'Ile-aux-Moines (Morbihan).

● *Les derniers hommes avant l'Histoire*

Lorsque l'Histoire commence, au Moyen-Orient, fondée sur des documents écrits — les plus anciens remontent à 3 000 avant J.-C. —, **ce qui est aujourd'hui la France vit toujours dans la Préhistoire,** comme la plus grande partie de l'Europe.

C'est par des historiens grecs et latins que l'on connaît des noms de peuples habitant ce qui deviendra la France. Naturellement Grecs et Latins parlent, surtout, des peuples les plus proches de « leur » mer, la Méditerranée : **les Ligures,** par exemple ; ils vivent entre le delta du Rhône et le fond du golfe de Gênes, aujourd'hui la Côte d'Azur et la Riviera italienne. Est-ce à eux, ou à d'autres peuples parents que l'on doit les célèbres **monuments mégalithiques** largement répandus, surtout en Bretagne ? Les plus anciens de ces monuments ont plus de 4 000 ans.

Au début du 1er millénaire, vers — 800, commencent les invasions celtiques : ce sont des **tribus indo-européennes,** cousines éloignées des Grecs et des Italiens, qui s'installent peu à peu en Europe centrale, puis occidentale. L'une des branches de ces peuples, les Gaulois, a donné à la France son premier nom : **la Gaule.**

• De la Gaule indépendante à la Gaule romaine

Pleins de vie, inventifs et batailleurs, **les Gaulois** ont non seulement peuplé ce qui est aujourd'hui la France, mais aussi envahi• une partie de l'Italie et de l'Espagne. **Vaincus• et soumis par les Romains en Italie,** vers — 200, les Gaulois sont, à leur tour, **envahis par les Romains qui font du sud de la Gaule une Province romaine** (l'actuelle Provence) vers — 120. Un demi-siècle plus tard, **Jules César conquiert toute la Gaule,** malgré la résistance• des Gaulois, rassemblés — trop tard ! — par un de leurs chefs ; **Vercingétorix** (58-52 avant J.-C.). C'est pour avoir eu trop l'esprit d'indépendance que les Gaulois ont été vaincus par les Romains : en Gaule vivaient alors une centaine de peuples, mais aucun n'acceptait d'être sous les ordres de l'un d'entre eux. De là des querelles• sans fin, que les Romains eux-mêmes ont eu du mal à effacer.

Dans leur conquête, les Romains ont donc été largement soutenus par des Gaulois tout prêts à les aider. Ce manque d'unité a coûté très cher à la Gaule : la perte de l'indépendance, peut-être un million de tués et autant de prisonniers emmenés en esclavage.

Enfin, César a conquis le pouvoir à Rome grâce à son prestige et aux richesses acquises en Gaule.

Très vite, **les Gaulois se sont mis à l'école de Rome :** les plus riches ont appris à parler latin, à vivre dans des villes aux **grandes maisons de pierre,** bien alignées le long des **rues droites,** qu'ornent de **beaux monuments ;** les villes reçoivent l'eau par des aqueducs... Devenus des **Gallo-Romains,** au service de l'empereur, les Gaulois ont, malgré tout, continué à fabriquer les objets inventés par eux et qui faisaient leur réputation depuis longtemps : chaussures de cuir montantes, pantalons (ou braies), blouses (ou saies), tonneaux de bois pour mettre le vin, objets en fer travaillé, et savon. On a parlé la langue gauloise dans les campagnes pendant plus de deux siècles après la conquête romaine. Les dieux gaulois ont été assez rapidement remplacés, au moins dans les villes, par **les dieux gréco-latins,** puis par le **christianisme** à partir de la fin du IIe siècle après J.-C.

• *envahir :* entrer dans un pays pour l'attaquer. On parle d'une *invasion,* les ennemis sont les *envahisseurs.*
• *vaincre :* battre un pays, gagner une guerre. On parle de victoire, de conquête ; contraire : *défaite, échec.*
• *résistance :* défense contre une attaque, refus de se soumettre aux volontés d'un autre.
• *querelle :* dispute.

Le passé présent

De son plus ancien passé, la France garde des restes — ou vestiges — intéressants. La Préhistoire est représentée avec une telle richesse que les noms des grandes époques préhistoriques sont formés à partir de ceux des lieux où ces vestiges ont été découverts (Aurignacien, Abbevillien, Chelléen, Périgordien...).

Les **grottes ornées** sont parmi les plus belles du monde : fresques de Niaux et de Lascaux, sculptures de Montespan ou de Roc des Sers... Les **sites préhistoriques** de la grotte du Lazaret près de Nice et du campement de Pincevent dans la banlieue de Paris sont célèbres, ainsi que la collection préhistorique et celtique du musée de Saint-Germain-en-Laye.

Les curieuses **statues de bois** découvertes aux sources de la Seine datent de l'époque de la Gaule indépendante ; de cette époque datent également quelques **idoles** — sculptures représentant des Dieux — et, surtout, le célèbre **trésor de Vix :** sa pièce la plus impressionnante est un énorme vase de bronze — un métal — pesant plus de 600 kilos, fabriqué en Grèce vers 520 avant J.-C. Il avait été transporté — par quels moyens et au prix de combien de peines ? — en Bourgogne, où il fut découvert dans une tombe en 1953.

La Gaule romaine a laissé **de très nombreux monuments :** aqueducs (Pont du Gard), théâtres (Orange), arènes (Nîmes, Arles), temples (Nîmes, Arles), magasins (Bavai, Arles), ports (Fréjus) et, un peu partout, routes et bornes « milliaires » (l'équivalent de nos bornes kilométriques).

1

1. *Bison blessé.* Peinture préhistorique trouvée dans la grotte de Niaux en Ariège.

2. *Vercingétorix prisonnier.* Revers d'une médaille romaine (B.N. Médailles).

3. *Le Pont du Gard.* Aqueduc à trois étages construit sous Auguste, qui amenait à Nîmes l'eau des sources voisines.

4. *Cratère de Vix* (Musée de Chatillon sur Seine).

Vercingétorix (vers –72 –46 avant J.-C.)

Ce prince arverne (l'Auvergne actuelle) dont le nom signifie probablement **le grand chef des héros** était le fils d'un roi qui avait perdu son trône et sa vie pour avoir cherché à étendre son autorité sur son peuple et les peuples voisins. Très jeune au moment où commence la conquête (— 58), il semble avoir cherché d'abord à s'entendre avec César, qui en fait son ami. Mais dans l'hiver 53-52 av. J.-C., aidé par quelques fidèles, il essaie de rassembler tous les peuples gaulois dans un soulèvement* général contre les Romains. Les troupes romaines étaient alors dispersées et privées de leur chef, César, rentré à Rome pour participer à la vie politique. Ce soulèvement rencontre d'abord un succès très rapide. En quelques heures, avertis par des signaux lumineux d'un bout à l'autre du pays, **les Gaulois se révoltent contre l'occupant :** les marchands romains sont massacrés, les armées romaines mises en grand danger. Mais **César réussit à regagner son armée et à la regrouper.**

Vercingétorix cherche à vaincre les Romains par **la politique de la terre brûlée** qu'il réussit, non sans peine, à faire accepter à son armée : il lui ordonne de refuser le combat pour ne laisser aux Romains qu'un pays détruit. Mais César parvient à prendre la plus **grande ville gauloise, Bourges,** que ses 40 000 habitants avaient voulu sauver. Tous sont tués et César trouve dans la ville détruite beaucoup de nourriture. César essaie de finir la guerre par une grande victoire : au début de l'été — 52, **il veut prendre Gergovie, capitale des Arvernes ;** il y subit un échec sanglant. Mais il a bientôt sa revanche*. Il réussit à faire battre la cavalerie gauloise par des cavaliers germains qu'il avait secrètement pris à son service. Vercingétorix se réfugie dans la forteresse d'**Alésia** (peut-être Alise Sainte-Reine) où il est aussitôt entouré par les Romains, sans que la très grande armée de secours gauloise, réunie sur l'ordre du chef gaulois, réussisse à le dégager. En septembre — 52, dans l'espoir d'éviter de trop grandes souffrances à son peuple, **Vercingétorix, premier « résistant » de l'histoire nationale française, se rend à César,** qui le fait enchaîner avant de le faire paraître à Rome à son triomphe, puis étrangler* après l'avoir laissé six ans dans une prison souterraine.

- *soulèvement :* révolte.
- *revanche :* le fait de faire du mal à celui qui vous a fait du mal. Lui « rendre la pareille », se venger.
- *étrangler :* tuer quelqu'un en lui serrant le cou très fort.

Comment la Gaule devint la France

● *La fin de la paix romaine*

Pendant trois siècles, Rome a assuré la paix à son Empire. Les Gaulois, devenus Gallo-Romains, en ont bénéficié comme les autres peuples soumis. Marchandises et marchands peuvent alors circuler partout en toute **sécurité,** et les villes n'ont aucune raison de s'enfermer dans des murs, des remparts : pour se protéger contre quel danger ?

Mais à partir de 250 environ, après plusieurs alertes, **cette période de paix prend fin.** Les frontières de l'Empire sont attaquées par des peuples barbares : les Gréco-Romains appellent ainsi tous ceux qui ne parlent ni ne comprennent le grec et le latin. Parmi ces « barbares », les plus dangereux pour la Gaule sont **les Germains,** qui campent sur la rive droite du Rhin, fleuve frontière de l'Empire. Les légionnaires romains qui défendent cette rive ne peuvent pas toujours arrêter les envahisseurs : ceux-ci, une fois passées les défenses de la frontière, avancent loin à l'intérieur. Ils le font très facilement, car les routes sont excellentes et il n'y a ni armée ni fortification lorsqu'on s'éloigne des frontières. **L'insécurité** remplace la paix, et grandit.

● *Quels envahisseurs ?*

Sur les frontières Nord-Est de la Gaule devenue romaine, on trouve d'abord **de nombreux peuples germaniques** comme à l'époque où la Gaule était encore indépendante. Mais ce ne sont plus tout à fait les mêmes. Ceux des Germains qui ont longtemps séjourné sur les frontières au contact des Gallo-Romains, ont pris à ces derniers quelques traits de civilisation. Et comme ces Germains romanisés, c'est-à-dire influencés par la civilisation romaine, sont d'excellents soldats, l'Empire a pris l'habitude d'en accepter certains comme « alliés » : devenus soldats « auxiliaires », ils aident à défendre les frontières.

Barque normande. Utilisée par les envahisseurs normands; chacune portait une trentaine de rameurs qui étaient autant de combattants (musée d'Oslo).

Mais derrière les Germains romanisés viennent d'autres peuples restés beaucoup plus **barbares.** Ces hommes blonds, aux cheveux longs, vêtus de pantalons et de tuniques à manches, bien plus pratiques que la toge flottante des Romains, n'ont pas de villes. Certains d'entre eux sont même restés nomades : ils se déplacent sans arrêt. Ils ne connaissent pas les lois écrites et obéissent à des coutumes transmises oralement. Leurs habitudes, leurs armes, en excellent métal, leur mépris de la mort dans les combats, tout contribue à faire de ces Germains un **danger terrible** auquel les soldats de Rome résistent de plus en plus mal.

Au début du Ve siècle, en 406, se produit un événement qui ressemble à un **carambolage°** de voitures sur une autoroute : les Germains les plus proches de la frontière cherchent à la passer, parce qu'ils sont poussés par d'autres Germains, eux-mêmes chassés vers l'Ouest par un autre peuple à la réputation terrible : **les Huns,** cavaliers mongols venus du fond de l'Asie orientale.

Ainsi **la Gaule a-t-elle été traversée plus ou moins complètement, et pillée°,** par les Vandales, les Wisigoths, les Burgondes, les Francs.

● *carambolage :* lorsqu'une voiture ralentit brusquement, il arrive que les voitures qui sont derrrière ne puissent pas s'arrêter et se heurtent. Au cours de cet immense *carambolage,* toutes les voitures sont cabossées.
● *piller :* prendre par la violence les biens des autres.

C'est une armée formée surtout de Germains et commandée par un général romanisé, Aetius, qui **arrête l'invasion des Huns** et leur roi Attila, en 451, à la bataille du « Campus Mauriacus », près de Troyes en Champagne.

Mais **l'Empire romain** est affaibli par tous ces coups : il **disparaît en Occident en 476. La Gaule** est, par la suite, encore **détruite par d'autres invasions.** Les dernières se produisent pendant tout le IXe siècle : ce sont celles des **Normands,** marins germaniques venant du Nord, qui pillent les côtes et les rives des fleuves qu'ils remontent, souvent très loin, et celles des **Hongrois,** cavaliers parents des Huns et qui, venant comme eux des frontières de l'Est, sèment la mort et la peur comme, au siècle précédent, les Arabes depuis l'Espagne...

● *Une force d'ordre : l'Église*

Les invasions ont entraîné de **terribles malheurs :** les trois quarts de la population sont peut-être morts alors ; les villages ont brûlé ; les villes ont été détruites, si elles n'ont pas eu le temps ou pris le soin de s'enfermer derrière un rempart. Très peu d'œuvres d'art ou de bibliothèques ont échappé au pillage ou à l'incendie. **Vers 500, deux siècles de violence avaient presque totalement effacé la civilisation**

Reims : *Tapisserie du baptême de Clovis* (détail).

gallo-romaine. Une partie de l'héritage antique a pourtant été sauvée, et c'est à l'**Église** que la Gaule le doit.

Religion alors nouvelle, **le christianisme** a rapidement conquis de nombreux Gallo-Romains ; vers 250 déjà, la Gaule était, dans l'Empire romain, parmi les pays les plus christianisés. Elle compta de nombreux martyrs : leurs noms baptisent aujourd'hui villages, villes ou églises, de Sainte Blandine à Saint Denis.

L'Église, dans ce monde où la violence est devenue loi, **reste la seule organisation :** ses membres obéissent à des **règles** appliquées d'un bout à l'autre de la Chrétienté : les prêtres doivent obéissance à leurs évêques ; les évêques aux évêques métropolitains ou archevêques ; ces derniers au Pape, trônant à Rome. Tous les ecclésiastiques — les hommes d'église — doivent savoir, au moins un peu, lire et écrire. Par les liens qu'ils gardent entre eux, ils savent qu'en dehors de leur village, il existe bien des pays, dont ils connaissent parfois même le nom ou l'endroit. Sans les évêques, nous ne saurions rien de ces temps troublés : notre principale source d'information est *l'Histoire des Francs,* écrite en latin vers 580, par l'évêque Grégoire de Tours.

• *Qui sont les Francs ?*

Parmi les peuples barbares qui ont envahi la Gaule par le nord, **les Francs** tiennent une place bien à part. Non parce qu'ils étaient nombreux — quelques milliers de guerriers — ou plus civilisés que les autres : c'est plutôt le contraire ; mais parce qu'ils surent, au bon moment, utiliser la religion. Ils étaient restés païens•, contrairement à leurs cousins germaniques déjà convertis au christianisme ; mais l'Église avait jugé « hérétique » et condamné la forme de christianisme adoptée par les autres Germains : l'arianisme. Le roi des Francs, **Clovis** (482-511), dont la femme, la reine Clotilde, était déjà baptisée, a eu l'intelligence de **se convertir au christianisme catholique :** il obtient ainsi l'appui de l'Église contre les autres peuples barbares. Par la violence et par la ruse•, **Clovis a réussi à unifier la Gaule** sous ses ordres : il est le **premier roi français** et le premier de dix-huit rois nommés Louis (ce prénom vient de Clovis - [C] lovis)...

Il a fondé une dynastie appelée **mérovingienne** (Mérovée était l'ancêtre de Clovis) qui a duré deux siècles et demi.

- *païen :* non chrétien.
- *ruse :* façon habile de tromper les autres. Exemple : *une ruse de guerre.*

Théâtre et arènes d'Arles.

• Des Mérovingiens aux Carolingiens

La seule forme de **richesse,** alors, était **la terre,** puisque l'insécurité avait fait disparaître presque tout commerce et cacher les objets précieux.

Les Francs avaient l'habitude de partager leur héritage en parts égales entre chacun de leurs fils ; et les rois faisaient comme tout le monde, si bien que **le royaume de Clovis n'a pas tardé à s'émietter•,** et la violence à renaître.

Les derniers Mérovingiens étaient si affaiblis qu'on les a appelés **rois fainéants.** Que pouvaient-ils faire ? A force de distribuer des terres à des nobles pour qu'ils leur restent fidèles, ils étaient devenus bien moins riches et puissants que ces **nobles** qui, alors, **voulaient partager le pouvoir.** Ce pouvoir était passé, en réalité, à leur principal ministre, le « maire du palais ». L'un d'eux, **Charles Martel,** connut un

---

• *s'émietter :* quand on coupe du pain en morceaux très petits, en *miettes,* on l'émiette.

grand prestige pour avoir repoussé une invasion « sarrasine », c'est-à-dire arabe, à Poitiers en 732. Peu après, le dernier Mérovingien, Chilpéric III, est enfermé dans un couvent•, et le fils de Charles Martel, Pépin le Bref, en 751, se fait nommer roi par le pape. Il crée **une nouvelle dynastie, appelée carolingienne** ; celle-ci durera jusqu'en 897 et apportera à la Gaule pendant un siècle, un peu de paix et un court réveil de l'économie et de la vie intellectuelle ou culturelle. Le plus célèbre des Carolingiens est **Charlemagne.**

• *Des Carolingiens aux Capétiens*

Les **invasions** des Sarrasins, Hongrois et surtout des Normands, entraînent **d'immenses destructions** aux IXe et Xe siècles. Le roi n'arrive pas à défendre son peuple. **L'anarchie•** règne ; ducs et comtes n'obéissent plus à l'autorité royale. En 888, la France se donne pour roi le comte **Eudes** qui avait défendu Paris contre les Normands en 885. Pendant un siècle (888-987), les descendants d'Eudes alternent avec ceux de **Charles le Chauve,** petit-fils de Charlemagne, sur le trône de France ; en 987, les grands du royaume élisent pour roi **Hugues Capet,** petit neveu d'Eudes. Les descendants de Hugues Capet ont régné sans interruption pendant plus de 800 ans, formant la dynastie des Capétiens. D'abord les **Capétiens directs,** jusqu'en 1328 ; puis sont venus les **Valois,** du nom de Philippe de Valois, appartenant à une branche des Capétiens. Il fut choisi par les « barons », c'est-à-dire les plus puissants seigneurs, pour succéder au dernier Capétien direct, mort sans descendant. De même les **Valois-Angoulême** ont pris la suite des Valois en 1498 et les **Bourbons,** un siècle plus tard, la suite des Valois-Angoulême.

• *couvent* : maison religieuse.
• *anarchie* : ici : état de troubles et de désordres.

Charlemagne

Petit-fils de Charles Martel, Charles est appelé « Magne » — du latin « Magnus » : le Grand — pour avoir **réunifié la Gaule,** agrandi ce pays au prix de guerres longues et terribles : en Allemagne, où il se bat contre les **Saxons** païens ; en Italie (il prend le titre de « roi des Lombards » en 774) ; et même en Espagne. C'est en revenant d'un combat contre les Musulmans que l'arrière-garde de l'armée de Charlemagne, commandée par Roland, est tuée au col de Roncevaux. A la Noël de l'an 800, **Charlemagne rétablit l'Empire romain** disparu en Occident depuis 476 et **se fait couronner empereur,** à Rome, par le pape Léon III. Il fait d'Aix-la-Chapelle, aujourd'hui en République Fédérale Allemande, sa capitale, d'où il surveille avec l'aide d'hommes entièrement à son service, l'administration de son Empire. Sur place, des comtes et des évêques ; de temps en temps des inspecteurs, les **missi dominici,** viennent contrôler la manière dont les premiers ont exécuté les ordres impériaux. Des règlements précis, les **capitulaires,** définissent la manière dont doit être conduite, par exemple, l'exploitation des grandes propriétés de l'cmpereur. **L'Empire s'enrichit,** les grands domaines prospèrent, la monnaie est

Guerriers caloringiens xᵉ s.
(Miniature du psautier de St-Gall).

Charlemagne à cheval avec Roland
(Parvis de Notre-Dame, Paris, 1882).

solide, les villes se développent le long des fleuves du Nord et de la Gaule.

Charlemagne sait à peine lire, et il arrive tout juste à écrire maladroitement quelques lettres de son nom. Mais **il a protégé les lettrés,** comme Alcuin qu'il a fait venir des îles britanniques, et Eginhard. Aujourd'hui encore, la Saint-Charlemagne (28 janvier) est la fête de tous les écoliers et étudiants de France. L'éducation, la copie des **manuscrits,** l'art sont alors encouragés. Une **renaissance littéraire et artistique** commence, qui se continue pendant tout le IXe siècle. L'Église donne d'autant plus son appui à l'empereur que celui-ci lui fait beaucoup de cadeaux. Le pape lui-même manifeste son respect envers l'empereur qui assure sa protection à Rome.

Quand il meurt en 814, Charlemagne n'a plus qu'un seul fils vivant, **Louis le Pieux,** qui est donc son successeur.

Mais ce dernier a lui-même trois fils, si bien que l'Empire, trop grand et composé de peuples trop différents, se divise à nouveau. En 843, au **traité de Verdun, il éclate en trois royaumes :** l'un, celui de Charles, appelé plus tard « le Chauve », devint le **royaume de France ;** l'autre, celui de Louis, dit « le Germanique », devint le **royaume d'Allemagne ;** le dernier, étroit et allongé, qui s'étend entre eux de la mer du Nord à la Méditerranée, doit son nom de **Lotharingie** à Lothaire, le fils à qui il fut attribué. De lui vient le nom de Lorraine (en allemand « Lothringen »), province française qui, comme le reste de la Lotharingie, a été souvent au long de l'histoire, convoitée par ses deux voisines, l'Allemagne et la France.

De l'époque carolingienne, dont la richesse dura peu, il ne reste en France que quelques beaux manuscrits, des œuvres d'art, et une église, celle de Germigny-des-Prés...

Signature de Charlemagne.   Manuscrit carolingien : *Serment de Strasbourg* (842).

La France féodale

Comme la plus grande partie de l'Europe, après la disparition de l'Empire romain, la France voit s'établir peu à peu une nouvelle organisation de la société : la **féodalité,** qui coïncide avec la longue période — 1 000 ans — appelée Moyen Âge : v-xve siècles environ.

• Ceux qui dominent et les autres

Vers l'an 1000, le système est déjà bien en place : les **guerriers** ont pour tâche de combattre, à cheval le plus souvent ; c'est pourquoi on les appelle **chevaliers.**

Les hommes d'Église prient pour assurer le salut de tous les chrétiens : on leur donne le nom de **clercs.**

Ni les chevaliers, ni les clercs ne doivent travailler de leurs mains : les premiers consacreront leur temps à s'entraîner pour la guerre et à la faire. Les clercs partagent le leur entre la prière et l'étude.

Alors, qui travaille pour les faire vivre ? **Les paysans :** infiniment plus nombreux, mais longtemps obligés de supporter la domination de « ceux qui combattent » et de « ceux qui savent ».

• Les droits et les devoirs

Tous les chevaliers ne sont pas également puissants, Les plus riches ont un **château,** refuge précieux et envié en ces temps d'insécurité. Les plus faibles cherchent un **seigneur** pour se placer sous sa protection : ce sont les **vassaux.**

Comment devient-on vassal ? Au cours d'une cérémonie appelée **hommage :** devant de nombreux témoins, le futur vassal, à genoux devant son seigneur, déclare se reconnaître pour son **homme.** La main posée sur la Bible ou sur des reliques*, il prête ensuite serment de rester fidèle à son seigneur, aussi longtemps que l'un et l'autre vivront.

* *relique :* partie du corps d'un saint, ou objet lui ayant appartenu.

Le droit médiéval a peu à peu précisé les obligations de chacun : le vassal doit à son seigneur l'aide de ses armes, de ses conseils et de ce qu'il possède ; le seigneur doit **aide et protection** à son vassal. Le plus souvent, il lui fournit, par une cérémonie appelée **investiture,** les moyens de remplir ses devoirs, en lui permettant de cultiver une terre, appelée **fief** (en latin **feodum** d'où dérive l'adjectif **féodal**).

• *Comme une pyramide...*

Très vite, les seigneurs disposant déjà de vassaux ont trouvé intérêt à obtenir la protection de seigneurs encore plus puissants. Ils sont ainsi devenus, à leur tour, des vassaux... tout en restant les seigneurs de leurs propres vassaux.

Aussi la société a-t-elle peu à peu ressemblé à une pyramide. Seul à ne dépendre de personne, le roi trône au sommet. Est-il pour autant le maître ? Non, car le respect dont on l'entoure dépend à la fois de sa force et de sa générosité : comme la seule richesse est alors redevenue la terre, s'il est généreux et multiplie les fiefs, il aura beaucoup de vassaux. Mais que lui restera-t-il pour lui-même ? Que pourra-t-il faire pour obliger un vassal à exécuter ses engagements ? S'il garde les terres pour lui, il n'aura guère de vassaux et par conséquent guère de poids face à ses ennemis, plus riches ou mieux défendus. Équilibre bien difficile à trouver. Le Moyen Âge est traversé de nombreuses **guerres féodales.** Aux yeux des seigneurs — car les paysans, s'ils pouvaient le donner, seraient d'un autre avis ! — elles sont le plus beau des sports, supérieur même à la chasse, pratiquée, elle aussi, avec passion.

• *Les progrès lents d'un ordre nouveau*

Ces violences ne font pas l'affaire de tous ceux qui travaillent : **paysans** (de loin les plus nombreux), **artisans et marchands.** Comment, sans un minimum d'ordre, récolter, produire, échanger des marchandises ?

Ils **mettent leur espoir dans le roi :** seigneur de tous les seigneurs et, par conséquent, supérieur à tous, il est aussi le seul à avoir reçu des pouvoirs spéciaux, d'origine divine, par le **sacre.**

Chaque roi, au début de son règne, se rend à Reims pour y être sacré. La cérémonie le place au-dessus de tous les hommes, ses

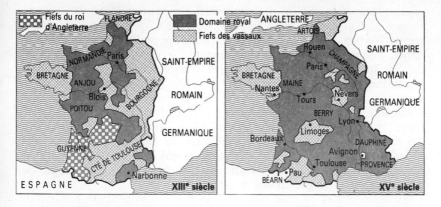

Fiefs du roi d'Angleterre

Domaine royal

Fiefs des vassaux

Carte XIIIᵉ siècle : FLANDRE, NORMANDIE, Paris, BRETAGNE, ANJOU, Blois, BOURGOGNE, POITOU, SAINT-EMPIRE ROMAIN GERMANIQUE, GUYENNE, CTE DE TOULOUSE, Narbonne, ESPAGNE — **XIIIᵉ siècle**

Carte XVᵉ siècle : ANGLETERRE, ARTOIS, Rouen, CHAMPAGNE, Paris, BRETAGNE, MAINE, Nantes, Tours, BERRY, Nevers, Lyon, SAINT-EMPIRE ROMAIN GERMANIQUE, Limoges, Bordeaux, DAUPHINE, Avignon, Toulouse, PROVENCE, BÉARN, Pau — **XVᵉ siècle**

Les Andelys : Château-Gaillard et la vallée de la Seine. Forteresse dominant la vallée de la Seine, à la frontière du domaine royal, Château-Gaillard fut enlevé aux Anglo-Normands par Philippe Auguste en mars 1204 après un siège de sept mois. La Normandie est aussitôt après rattachée au domaine royal français.

sujets ; elle fait de lui un intermédiaire entre Dieu et tous les Français. Aussi **le roi** est-il **le juge suprême** auquel chacun peut faire appel. Ne pas obéir à une décision royale apparaît comme une révolte contre l'ordre voulu par Dieu ; tenter de tuer le roi comme un « crime de lèse-majesté », méritant les plus terribles supplices•.

L'administration mise en place par Charlemagne ne lui a pas survécu ; mais une autre s'installe à partir du xıᵉ siècle. On donne le nom d'**officiers royaux** à ses membres. Souvent d'origine modeste, ils ont travaillé dur pour apprendre à écrire, lire, compter, à bien connaître les lois déjà en usage. Leurs fonctions les élèvent dans la société. C'est pourquoi ils sont très dévoués au roi. Ils sont compétents et actifs, et leur influence grandit peu à peu, alors que celle des administrations seigneuriales baisse.

• *Deux appuis pour le roi : les clercs et les bourgeois*

Le titre porté par les rois de France jusqu'à la disparition de la monarchie est **Sa Majesté Très Chrétienne.** Les rois se sont appuyés sur l'Église catholique, l'Église a appuyé les rois. Chacun y trouvait son intérêt. Bien des ministres du roi étaient des clercs ; l'Église a reçu des rois de nombreux cadeaux et de l'aide.

Le **progrès des villes** est rapide à partir du xııᵉ siècle. Les plus riches et les plus actifs de leurs habitants sont les **bourgeois.** Leur désir est de pouvoir administrer — diriger — leur ville comme ils le veulent, sans dépendre du seigneur sur le territoire duquel elle se trouve. Dès qu'elles se sentent assez de force, les villes demandent au seigneur voisin une **charte de franchise,** pour permettre à la **commune** formée ainsi de s'administrer elle-même. C'est là l'origine du nom des nombreuses **Villefranche** ou **Villeneuve** qui restent en France. Le roi s'est, dans l'ensemble, appuyé adroitement sur le mouvement communal, qui **affaiblit le pouvoir seigneurial.**

• *Au xvᵉ siècle : une France transformée*

La France émiettée de l'an mille, où le roi pouvait à peine se faire obéir à 30 km de Paris, a fait place deux siècles plus tard à une France beaucoup plus unifiée.

• *supplice :* souffrance que l'on fait subir à quelqu'un, pour lui faire dire quelque chose, pour le punir, ou par ordre de la justice.

Tapisserie de la reine Mathilde, Bayeux (xiᵉ s.). Elle représente les événements qui précèdent et accompagnent la conquête de l'Angleterre par les Normands. Ici, les chevaliers du duc Guillaume combattent, en France, les habitants de Dinan.

Par la suite, le sentiment national est sorti fortifié d'une terrible guerre entre la France et l'Angleterre, la **guerre de Cent Ans,** où la France a été près d'éclater. Pour donner au roi les moyens de lutter contre l'ennemi anglais, le pays a laissé le roi lever des impôts qui, ensuite, ont continué à être collectés. Aucune armée seigneuriale ne peut alors espérer tenir contre **l'armée royale,** bien pourvue d'une artillerie qui vient à bout des château-forts les plus puissants. A la fin du xvᵉ siècle, bien que toujours très riches et très influents, **les nobles ne présentent plus,** pour le pouvoir royal, **le même danger politique.**

● *Trois Capétiens, grands serviteurs de la monarchie médiévale*

Philippe Auguste, roi de 1180 à 1223, a donné à la monarchie capétienne une base territoriale (un pays avec des **frontières**), une assise administrative (une manière de **gouverner** le pays) et un **rayonnement** qui lui manquaient. Au début de son règne, il est beaucoup moins puissant, en apparence, que le plus grand de ses vassaux, Henri Plantagenet, seigneur de toute la moitié ouest du pays : du sud de l'Aquitaine au nord de la Normandie ! Or, par mariage et héritage il devient, en plus, **roi d'Angleterre.**

Siège de la ville de Duras (XVe s.). Les assaillants, armés d'arbalètes et d'échelles, utilisent aussi l'artillerie à poudre : l'affût à roues est visible au bas de la gravure.

Philippe Auguste a su utiliser à merveille deux armes : **le droit féodal** et la **mésentente°** entre les membres de la famille **Plantagenet.** Le premier lui a permis de constamment exiger d'Henri, puis de ses fils, ses successeurs, l'exécution des devoirs que tout vassal a envers son seigneur. Henri Plantagenet, lui-même roi et, par là, égal à Philippe est, à plaisir, traité en inférieur. Toute erreur du vassal dans l'exécution de ses devoirs entraîne la confiscation° du fief !

Après la mort d'Henri (1189), la haine qui oppose ses deux fils — Richard Cœur de Lion (mort en 1198) et Jean sans Terre (mort en 1216) — offre une arme de choix aux intrigues de Philippe. Quand il meurt — en 1223 — **la terre anglaise sur le continent est réduite** à une petite partie de l'Aquitaine !

En même temps, une **administration** modèle pour l'époque, était mise en place ; celle des **baillis** et **sénéchaux, officiers royaux,** qui devait durer jusqu'en 1789.

Petit-fils de Philippe Auguste, **Louis IX** (1126-1270) est surtout connu sous le nom de **Saint Louis.** D'une grande piété°, il a participé lui-

---

● *mésentente :* « mauvaise entente » impossibilité de se mettre d'accord.
● *confiscation :* le fait de prendre le bien de quelqu'un. On confisque les armes des soldats prisonniers.
● *piété :* sentiment religieux très fort.

même à deux **croisades** contre les mulsulmans en Afrique du Nord ; et il est mort au cours de la seconde. Moins habile politique que Philippe Auguste, il a pourtant élevé le **prestige** — l'éclat — et le **rayonnement** de la monarchie capétienne en Europe.

Avec **Philippe IV le Bel** (1285-1314) se précise le rôle des juristes inspirés par le **droit romain.** Après avoir été négligé en France depuis le début du Moyen Âge, le droit romain est redécouvert par les hommes de loi. Ils comprennent quelle arme il peut fournir au roi qui lutte pour **augmenter son pouvoir :** contre la grande féodalité ; contre l'ordre religieux des Templiers, devenu extrêmement riche ; contre le désir du pape de soumettre les rois à l'autorité pontificale.

Quand meurt Philippe le Bel, **les cadres politiques, administratifs et financiers du royaume** apparaissent beaucoup plus solides qu'un siècle et demi plus tôt. Mais alors s'annoncent des temps plus difficiles. Le xive siècle est une période de difficultés économiques, de guerres sans fin — la guerre de Cent Ans — et de peste.

Jeanne d'Arc (1412-1431). Dans le royaume de France en guerre paraît Jeanne d'Arc, jeune et pieuse paysanne lorraine. A 17 ans, sur ordre de l'Archange Gabriel, dont elle a cru entendre la voix, accompagnée de quatre hommes d'armes, elle rejoint à Chinon le dauphin et lui redonne courage. Elle délivre Orléans en avril 1429 et fait couronner Charles VII à Reims, le 17 juillet 1429. Dans ce document, postérieur d'un demi-siècle, on la voit, le lendemain du sacre, siégeant à côté du roi à Troyes.

Les moines, vrais maîtres à penser de l'Europe médiévale ?

Les premières **communautés de moines*** datent du début du Moyen Âge et elles sont apparues en Méditerranée orientale. La Gaule, puis la France ont été parmi les premiers pays de l'Europe occidentale à voir se créer des **monastères :** il en existe depuis l'époque mérovingienne.

Mais c'est à partir du xe siècle que la France joue un rôle essentiel dans **l'essor des ordres monastiques***. Elle a vu naître trois des plus importants.

D'abord à **Cluny,** en Bourgogne, est fondée, en 909, une abbaye dont le rayonnement allait s'étendre sur tout l'Occident. Ses fondateurs l'avaient placée sous l'**autorité directe du pape,** pour que les moines ne dépendent pas des pouvoirs locaux, religieux ou seigneuriaux. Cinq de ses premiers abbés, tous hommes remarquables, ont eu la chance de vivre très vieux : leur action a donc pu être longue. Vers 1100, aucun ordre religieux n'exerce en Europe une influence aussi grande. **L'église de Cluny, joyau de l'art roman,** construite par l'abbé saint Hugues le Grand (1049-1109), est restée pendant cinq siècles la plus vaste église de la Chrétienté jusqu'à la construction de Saint Pierre de Rome ; sa nef* mesurait 181 mètres de long.

L'influence de Cluny tient à ses très nombreuses **filiales,** ses abbayes-filles : plus de 2 000 au début du xie siècle ; les plus nombreuses sont en France, mais il y en a aussi en Espagne, en Italie, en Europe centrale. Chef direct de presque toutes les **abbayes-filles,** l'abbé de Cluny est, après le pape, son supérieur direct, le personnage religieux le plus important de la Chrétienté. Enrichi par de nombreux dons, l'ordre peut donner un éclat exceptionnel aux cérémonies, et son rôle a été capital dans la diffusion de l'art roman en Europe.

Le deuxième ordre, fondé à la fin du xie siècle, est celui de **Cîteaux,** également en Bourgogne. Son véritable organisateur est saint Bernard, qui condamne la vie des moines de Cluny, qu'il jugeait trop luxueuse. Dans le monastère cistercien, tout est simplicité extrême : la vie des moines, comme le monastère et son église, cadres de la vie religieuse, établis au milieu des forêts, **à l'écart des autres hommes.** Dès le milieu du xie siècle, l'ordre compte 350 abbayes dispersées dans tout l'Occident. Mais si les

● *moine :* membre d'un ordre religieux masculin. Il vit dans un *monastère,* ou dans une *abbaye,* dont le supérieur est *l'abbé.*

● *ordres monastiques :* associations religieuses d'hommes ou de femmes qui ont fait vœu (juré) de vivre dans la pauvreté, le célibat et l'obéissance.

● *nef :* partie d'une église qui va du *chœur* (où est l'autel) à la porte principale.

Sainte-Foy-de-Conques (Aveyron xiᵉ s.).
Église romane renfermant un trésor.

Basilique Sainte-Madeleine à Vézelay (Côte
d'or). Restes d'une abbaye du xiiᵉ s.

moines y restent pauvres, l'ordre lui-même devient peu à peu si riche qu'il est une véritable **puissance économique :** au xiiiᵉ siècle, grâce à leurs troupeaux de moutons, les cisterciens sont les plus importants producteurs de laine d'Europe.

Enfin, à la fin du xiᵉ siècle, dans les Alpes, saint Bruno fonde le **couvent de la Grande-Chartreuse,** point de départ de l'ordre des Chartreux, organisé en 1176. Chaque moine dispose d'une cellule (chambre) et y vit dans la méditation• et le silence. Cet ordre est, avec celui des Bénédictins, le seul à avoir **duré jusqu'à nos jours.**

• *méditation :* le fait de réfléchir longuement.

Le Moyen Âge,
une pensée morte aujourd'hui ?

Depuis 1900, aucune époque n'a fait l'objet d'une étude aussi poussée que le Moyen Âge. On a découvert que cette longue période avait été extrêmement vivante et riche de pensées originales, contrairement à ce qu'on avait cru auparavant.

Gardiennes des traditions, les campagnes ont su continuer jusqu'à notre époque les habitudes si agréables des fêtes villageoises, pour la grande joie des folkloristes[•].

Le Moyen Âge a vu naître une catégorie sociale qui devait connaître un développement important : celle des **universitaires.** Professeurs et étudiants marquant fortement les endroits où ils sont établis en nombre. Le **Quartier Latin,** à Paris, est aujourd'hui toujours là où il est né il y a huit siècles. Et il servit de modèle à toutes les villes dont les universités sont anciennes : Montpellier, Toulouse... Chacune d'elles défend jalousement ses **franchises :** elles interdisent, en particulier, à la police de pénétrer dans les établissements universitaires sans y avoir été autorisée par le recteur et le conseil de l'université, élus par les professeurs. D'usage courant pour l'enseignement supérieur, **le latin** effaçait la barrière des langues : un Allemand comme Albert le Grand ou un Italien comme saint Thomas d'Aquin ont enseigné avec grand succès à Paris, sans que leur caractère d'étrangers ait causé la moindre gêne. Comme partout en Europe, les lettrés sont, à l'époque, autant — et peut-être plus — européens et cosmopolites que français.

Le Moyen Âge est partout présent dans la France d'aujourd'hui, même quand elle ne s'en rend pas compte. Les bons usages actuels sont les héritiers de la **courtoisie** médiévale : un homme présente aux dames ses **hommages,** tout en s'inclinant devant elles pour leur **baiser la main ;** les hommes politiques, ou le gouvernement, demandent **l'investiture** d'un parti ou de la majorité ; les discours dénoncent les **féodalités** financières ou professionnelles.

Le jeune étudiant d'aujourd'hui va à **l'université** après avoir passé sept ans dans un collège où il a préparé l'examen du **baccalauréat,** qui lui permettra ensuite de passer une **licence** et, peut-être, de pousser jusqu'au **doctorat** en soutenant ses **thèses.**

L'homme noble porte un titre de **baron, vicomte, comte, marquis ou duc,** que symbolisent des **armoiries** ou armes et une couronne plus ou

---

• *folkloriste :* personne qui étudie les traditions, légendes et usages populaires d'un pays.

moins compliquée. Aujourd'hui, les services importants rendus au pays sont reconnus par une décoration assortie d'un titre : **chevalier, officier, commandeur, grand officier, grand-croix de la Légion d'Honneur.** Cette hiérarchie et la forme-même de la décoration sont calquées sur celles des grands ordres de chevalerie créés à la fin du Moyen Âge.

Dans les campagnes, les paysages découverts jusqu'à l'horizon des champs ouverts, ou **champagnes,** sans clôtures entre les différentes surfaces cultivées, s'opposent aux **bocages,** étroitement entourés de haies, qui limitent la vue à quelques dizaines de mètres. Ils sont hérités directement du Moyen Âge, comme le site de la plupart des villages et beaucoup de leurs églises.

Villes entourées de remparts (murailles) et **châteaux** toujours debout, comme Carcassonne, Vitré, Pierrefonds, Loches, Saumur, Angers ; vieux quartiers pittoresques de Sarlat, Le Mans, Avignon, Dinan, Pézenas, attirent aujourd'hui les touristes et font le bonheur des peintres.

Comme **l'art roman** des églises de Conques, Vézelay, Périgueux, Angoulême, Poitiers, a inspiré bien des copies, **l'art gothique ogival** de Notre-Dame de Paris, Reims, Amiens, Bourges, Strasbourg se retrouve très loin en Europe et jusqu'en Méditerranée orientale.

La littérature française du Moyen Âge a longtemps été méprisée et jugée grossière par les humanistes du

Statue gothique. Une des quatre grandes statues de la scène « La Présentation au Temple » sur le portail central de la cathédrale de Reims.

Chartres (1200-1260) : une des premières cathédrales gothiques.
Manuscrit du *Roman de Renart :* Renart et Vilain (paysan).

XVIe siècle. Il a fallu attendre le XIXe siècle pour qu'elle soit remise à l'honneur. Elle fut pourtant, à partir du XIe siècle, très vivante.

Du IXe au XIVe siècles, elle s'exprime en langue romane, mélange de latin, de celte et de germain. Cette langue reste elle-même divisée en deux dialectes : celui **d'oc** dans le midi, celui **d'oïl** au nord de la Loire. Oc et oïl ont le sens de notre *oui*.

Destinée à des auditeurs plus qu'à des lecteurs, car peu de gens savent lire à l'époque, la littérature a été influencée par les grands **événements historiques** : croisades (1096-1270), guerre des Albigeois (XIIIe siècle), guerre de Cent ans (1337-1453).

Les nobles, dans leurs châteaux, écoutent volontiers les longs **poèmes épiques** et guerriers appelés **Chansons de geste** que leur récitent trouvères et troubadours : ils racontent les **faits d'armes** des grands soldats de l'époque. Le plus célèbre est *La Chanson de Roland* (fin du XIe siècle), poème de 4 000 vers qui s'inspire du massacre[•] par les Sarrasins, en 778, dans les Pyrénées, de l'arrière-garde de Charlemagne, dirigée par le comte Roland. Cette œuvre fut vite connue d'un bout à l'autre de l'Europe. Plus tard, les mœurs devenant plus douces, c'est la **littérature courtoise** (de cour) qui devient à la mode chez les châtelains féodaux. **Le Roman de la Rose** (1240) définit les lois

• *massacre :* le fait de tuer (de massacrer).

Joueur de vielle. Les soirs de fête, dans les châteaux, des musiciens appelés troubadours au sud de la Loire, trouvères au Nord, récitaient des vers en s'accompagnant de la harpe ou d'un instrument à cordes.

31

de cette littérature. Aux XIVe et XVe siècles avec **Villon** (1431-vers 1485) et **Charles d'Orléans** (1394-1465), la poésie devient plus personnelle. Les romans inspirés de l'Antiquité, les romans bretons ou arthuriens* tels *Le Chevalier au lion* ou *Lancelot* connaissent un grand succès.

Les bourgeois apprécient les **fabliaux,** contes **satiriques*** en vers.

Le Roman de Renart (1174-1205), satire des cours et des mœurs des nobles, est la première œuvre bourgeoise importante de la littérature française. Elle connaît un immense succès. Le nom du héros principal, *Renart* (que l'on écrit maintenant *renard*) a purement et simplement remplacé, dans la langue courante, le nom de l'animal, qui était alors *goupil.*

Tout le monde au Moyen Âge aime le théâtre, qu'il soit religieux ou comique : **drames liturgiques,** comme **Le drame d'Adam** et, plus tard, **les Miracles** qui mettent en scène la Vierge et les Saints comme **le Miracle de Théophile** de Rutebeuf. A XVe siècle, on joue des scènes tirées de l'Ancien et du Nouveau Testament appelées **mystères.**

C'est au Moyen Âge encore, à la fin du XIIe siècle, qu'apparaît **l'histoire écrite** en prose* et en français. **Les chroniqueurs** les plus célèbres sont **Villehardouin** (1150-1212), qui joua un rôle important dans la 4e croisade, **Joinville** (1224-1317), compagnon et ami de Saint Louis, **Froissart** (1337-1400) et **Commynes** (1447-1511).

• *le roi Arthur,* personnage légendaire du pays de Galles. Ses aventures ont donné naissance au « roman courtois » du « cycle de la Table ronde » (XIIIe s. ap. J.-C.).
• *satirique :* une *satire* est un texte, d'abord écrit en vers, qui attaque et se moque des habitudes de son temps. Un esprit satirique met l'accent sur les travers de ses contemporains. Il montre de l'ironie.
• *prose :* une manière d'écrire qui est le contraire des vers.

La Renaissance, la Réforme, les guerres de Religion

• *Pourquoi Renaissance ?*

Le Moyen Âge a été très riche en **artistes,** en **écrivains,** en **poètes,** et même en **intellectuels** et en **savants.**
Mais, dans l'ensemble, ils se préoccupaient surtout de **problèmes liés à la religion.**
En Italie, la civilisation romaine a laissé des traces partout, et le souvenir de la tradition romaine y est resté, évidemment, plus présent. Les contacts avec la Grèce toute proche y sont également faciles. A partir du XIVe siècle, les difficultés que rencontre l'empire byzantin mourant font fuir vers l'Italie beaucoup de savants et d'artistes à la recherche d'un peu de calme. Ils apportent avec eux des manuscrits et des œuvres d'art. Les uns et les autres contribuent à faire renaître un vif intérêt pour l'Antiquité, d'où le nom de **Renaissance.** Les différents arts plastiques — sculpture, peinture, architecture — mais aussi la littérature et même la musique sont marqués par cet esprit nouveau.
D'italienne à l'origine, la Renaissance ne tarde pas à devenir aussi **française** et **européenne.**

• *Une soif inépuisable de savoir*

Apprendre, apprendre toujours plus et dans tous les domaines du savoir d'alors est l'ambition de ceux qu'on appelle les **Humanistes.** Les Italiens ont montré la voie dès le XIIIe siècle. Aux XVe et XVIe siècles, à la suite des **guerres d'Italie** menées dans ce pays par les rois Charles VIII (1470-1498), Louis XII (1462-1515) et François Ier (1515-1547), la France devient à son tour **terre d'humanisme. Rabelais** (1494-1553) a décrit avec beaucoup d'esprit, en les caricaturant parfois, l'enthousiasme qui anime ceux qui partent à la recherche de la connaissance. Son **Pantagruel,** fils du bon géant **Gargantua,** est excellent partout : ni le grec, ni le latin, ni l'hébreu, ni les langues orientales connues à l'époque n'ont de secret pour lui ; mais il est également imbattable en mathématiques, en astronomie, en sports. L'Humaniste est un homme complet, plus fort que tous les autres dans tous les domaines. Pas d'autres limites pour lui que son intelligence, toujours en éveil, et sa force de travail ; mais sa passion d'apprendre est si grande qu'elle le rend insensible à la fatigue : il dévore tout le savoir disponible de son temps, d'un terrible appétit.

• De nouvelles manières de voir

Mais ce savoir, il ne suffit pas de le récolter. Il faut l'**examiner,** le **trier** et le **reclasser.** Les idées admises comme vraies par le Moyen Âge le sont-elles vraiment ? Peut-on vraiment tout croire, de confiance, y compris dans le domaine religieux, au moment où l'on remet en question le savoir dans toutes les directions de la connaissance ? Au moment où l'on **découvre des continents** dont on n'avait pas eu l'idée jusque-là : Christophe Colomb l'Amérique, en 1492, Vasco de Gama la route des Indes, en 1498 ? Au moment enfin où la preuve que **la terre est une sphère** est apportée par Magellan dans son premier tour du monde (1519-1522) ?

Ainsi, les **textes de la Bible,** que personne n'avait mis en doute, sont-ils l'objet d'une étude profonde. La partie la plus ancienne avait été écrite en hébreu mais, depuis l'Antiquité, la foi chrétienne était diffusée à partir d'un texte latin qui avait lui-même été établi à partir d'une traduction en grec. Maintenant que nombre d'Humanistes connaissent l'hébreu, ils peuvent comparer le texte premier et ses traductions et découvrir dans celles-ci des erreurs et des idées contraires.

Sans le vouloir sans doute, **l'Humanisme a ouvert la crise religieuse** qui était en sommeil depuis deux siècles.

Dans le même temps, quelques progrès étaient accomplis dans la **médecine.** Ambroise Paré (1509 ?-1590) est l'un des médecins les plus célèbres de son temps.

• Les rois de France conquis par la Renaissance

La **civilisation italienne,** très brillante et plus au contact de l'Orient que celle de la France, attire. Les rois de France la connaissent par les guerres qu'ils ont faites en Italie depuis la fin du XVe siècle. François Ier (1515-1547) a commencé son règne par une éclatante victoire remportée à Marignan (1515), près de Milan où il était venu réclamer une terre qu'il présentait comme étant un héritage familial. Il fait venir en France **nombre d'artistes italiens.** Parmi les plus célèbres, Léonard de Vinci qui mourut près d'Amboise sur les bords de la Loire, où il avait été invité pour aider à la **décoration des châteaux** magnifiques que les rois y construisaient.

La **Renaissance artistique** a donc accompagné le développement de la **Renaissance intellectuelle** et littéraire du XVIe siècle.

La véritable **Renaissance scientifique** est plus tardive : elle se place au XVIIe siècle.

• *La France déchirée par les guerres de Religion*

Au XVe siècle, **les papes** avaient de plus en plus **perdu de leur influence :** leur vie luxueuse, leur manière de se conduire trop souvent en chefs de guerre plus qu'en chefs spirituels ont pour résultat la remise en question de leur autorité.

La **Réforme protestante** éclate avec **l'Allemand Luther** en 1519 ; ce moine déclare en public que le chrétien ne peut pas sauver son âme en achetant des indulgences que des envoyés du pape viennent proposer aux fidèles de l'Église. Luther affirme qu'il appartient à chacun de faire son Salut. Immédiatement, l'Allemagne se déchire en deux : les partisans de Luther, ou **réformés** et les traditionnalistes, fidèles au **catholicisme romain.**

La France est rapidement touchée à son tour. Un quart de siècle après Luther, **le Français Jean Calvin** (1496-1564) s'éloigne de l'Église catholique romaine. Il aura de nombreux partisans : en France, les **calvinistes** se trouvent dans tous les milieux de la société. Il y a des calvinistes très influents, dans l'entourage immédiat du roi : l'amiral Coligny, par exemple, principal conseiller de Charles IX (1550-1574) ; le roi de Navarre, Antoine de Bourbon ; Henri, fils de celui-ci et Sully, compagnon d'armes d'Henri de Navarre — le futur roi Henri IV — dont il devait être le Premier Ministre.

En 1562 commencent trente ans de guerres terribles : **les guerres de Religion.** La France se déchire. Aux catholiques s'opposent les réformés, avec la même passion que manifestent aujourd'hui les partis politiques. L'étranger ne tarde pas à s'en mêler : les Espagnols aident le parti catholique, les Anglais les réformés. Le dernier tiers du XVIe siècle est ensanglanté par les horreurs d'une guerre civile compliquée de guerres étrangères.

La première Renaissance :
les châteaux de la Loire

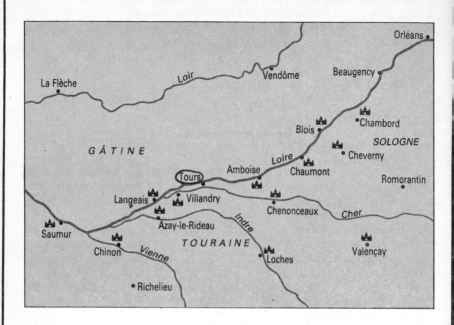

La Flèche • Loir • Vendôme • Beaugency • Orléans

GÂTINE

Blois • Chambord

SOLOGNE

Cheverny

Loire

Tours • Amboise • Chaumont

Romorantin

Langeais • Villandry • Chenonceaux • Cher

Azay-le-Rideau

Saumur • TOURAINE

Chinon • Vienne • Indre

Loches • Valençay

• Richelieu

La Première Renaissance : les châteaux de la Loire. Au XVIᵉ s., en France, les influences italiennes ont déjà pénétré. Les rois, à partir de François Iᵉʳ, veulent recréer sur les bords de la Loire un morceau d'Italie. Les architectes aménagent les anciens châteaux, les ornent, et les transforment en palais élégants, dans lesquels se donnent de grandes fêtes. Les murs se percent de fenêtres nombreuses, comme à *Langeais* (fig. 1) ; douves (fossés) et tours sont utilisées pour le décor.

1

Blois

Chambord

2

3

4

A *Blois* (fig. 2), le grand escalier octogonal et l'ornementation de l'aile François Ier sont d'inspiration italienne. *Chambord* (fig. 3), construit pour François Ier de 1519 à 1540, paraît être un décor de théâtre. *Chenonceaux* (fig. 4), a été élevé à partir de 1513 au-dessus du Cher.

L'Humanisme en France

L'Humanisme s'est étendu d'Italie à l'Europe entière au cours des XVᵉ et XVIᵉ s. Les humanistes ont redécouvert l'Antiquité et veulent renouveler les lettres, les sciences, réformer l'Église, la société et les hommes.

La naissance de Gargantua. Illustration de Gustave Doré, 1873.

En France, Du Bellay fait paraître en 1549 la *Défense et Illustration de la langue française,* manifeste d'un groupe de poètes, La **Pléiade,** qui eut pour chef **Ronsard** (1524-1585). La prose est illustrée par **Rabelais** (1494-1553) qui écrit en 1532 et 1534 *Pantagruel* et *Gargantua.* **Montaigne** (1533-1592), publie en 1580 ses *Essais* dans lesquels il insiste sur la nécessité de critiquer et de choisir.

Portrait de Ronsard, anonyme du XVIIᵉ siècle, musée de Blois.

La Réforme

La conjuration d'Amboise. Gravure de Tortorel et Périssin (B.N. Est).En 1560, au château d'Amboise, la tentative de gentilhommes protestants pour arracher le roi à l'influence des Guise échoue. La répression est atroce.

Massacre de la Saint-Barthélémy, 24 août 1572. Peinture de F. Dubois. (Lausanne, musée des Beaux Arts). Catherine de Médicis fait assassiner les protestants à Paris.

L'une des dates les plus tristes de l'histoire de France est la **Saint-Barthélémy** (24 août 1572) : ce jour-là, de nombreux protestants se trouvent à Paris à l'occasion du mariage d'Henri de Navarre. Un **complot** catholique conduit par Charles IX et la reine-mère Catherine de Médicis fait massacrer dans la nuit tous les protestants. Coligny, entre beaucoup d'autres, y a perdu la vie.

Une autre victime célèbre de ce fanatisme est le roi Henri III, assassiné• en 1589 par un moine, Jacques Clément, parce qu'il était soupçonné par le parti catholique extrémiste de chercher un accord avec les protestants. Ces derniers avaient pour chef le roi Henri de Navarre, propre cousin d'Henri III que, d'ailleurs, celui-ci désigna sur son lit de mort comme son héritier.

● *assassiner* : tuer quelqu'un volontairement.

Henri IV à la bataille d'Ivry (1590). Henri IV est protestant et malgré ses victoires d'Arques et d'Ivry sur les ligueurs catholiques, il doit, pour pouvoir régner, abjurer le calvinisme (1593). En 1594, il se fait sacrer à Chartres. En 1598, il promulgue l'Édit de Nantes qui établit la coexistence en France du catholicisme et du calvinisme. Il sera assassiné en 1610 par Ravaillac.

Jean Calvin (1496-1564)

Né à Noyon, en Picardie, à une centaine de kilomètres au nord de Paris, il s'appelle en réalité Cauvin ; Calvin est la transcription de *Calvinus,* le nom latin dont il signa ses première œuvres.

Après des études très poussées, il devient un humaniste, comme bien d'autres à l'époque. Mais, en 1534, ce qu'il a appelé lui-même une **subite conversion** le conduit à rompre avec l'Église catholique romaine.

Il doit alors quitter la France où il craint d'être emprisonné pour son protestantisme, et s'installe en Suisse : à Bâle, en 1536, il publie la première édition latine de l'*Institution de la religion chrétienne,* qui donne une interprétation nouvelle de la foi chrétienne. Ce livre a immédiatement un très grand succès. Ses éditions se multiplient jusqu'à sa version définitive en 1559. Calvin devient célèbre. A Genève, où il s'établit jusqu'à sa mort et professe la théologie, entre deux voyages en Europe, il décide et écrit des ordonnances ecclésiastiques — des sortes de lois religieuses — qui punissent avec une extrême sévérité les manquements à la morale et à la religion telles qu'il les voit. Genève devient la place forte du protestantisme.

Écrivain remarquable, esprit méthodique, organisateur exceptionnel, fondateur d'église, Calvin est un des plus étonnants Français du xvie s.

INSTITVTION DE LA RELIGION CHRESTIENNE.

COMPOSÉE EN LATIN PAR M. Iean Caluin, & translatée en François par luymesme, & encores de nouueau reueue & augmentée : en laquelle est comprinse vne somme de toute la Chrestienté.

AVEC LA PREFACE ADRESSEE AV Roy, par laquelle ce present Liure luy est offert pour confession de Foy.

SEMBLABLEMENT Y SONT ADIOV stees deux Tables, l'vne des passages de l'Escriture, que l'Autheur expose en l'autre des matieres principales contenues en iceluy.

POINT CHARNELLES, MAIS PVIS-

DE L'IMPRIMERIE De François Iaquy, Antoine Dauodeau, & Iaques Bourgeois.

AVEC PRIVILEGE. M. D. LVII.

La monarchie absolue

• Les origines

Plus de la moitié du demi-siècle qui a suivi l'assassinat de Henri IV (1610) est marquée par des **troubles politiques graves** en France : ils coïncident avec la venue sur le trône de rois trop jeunes pour pouvoir disposer d'une grande autorité. Ce fut le cas de 1610 à 1624, jusqu'à ce que Louis XIII prenne pour premier ministre le cardinal de **Richelieu.** D'une volonté très forte et d'une remarquable habileté, sans être toujours très honnête, Richelieu a été l'un des plus efficaces créateurs de la monarchie absolue.

Après sa mort et celle de Louis XIII (1643), une nouvelle régence a vu le pouvoir royal s'affaiblir, en particulier pendant **la Fronde** (1648-1653) : on donne ce nom à une véritable guerre civile entre le roi et les groupes sociaux qui souhaitaient partager avec lui le pouvoir : membres de la haute noblesse et magistrats supérieurs du Parlement de Paris. Le cardinal **Mazarin,** Italien passé au service de la reine-mère Anne d'Autriche, qui en avait fait son premier ministre, par un travail fait souvent dans l'ombre, a permis **la victoire de la monarchie.** Fatigués de ces troubles et des ruines qu'ils entraînaient, les Français ont alors un grand désir de **retour à l'ordre.** Pour eux, c'est au roi de le maintenir : même s'ils n'en connaissent pas les termes, ils sont prêts à reconnaître les principes définis par un juriste, grand serviteur de la monarchie, Lebret, en 1632 :

« *Les rois sont institués par Dieu, la royauté est une puissance suprême déférée*° *à un seul, la souveraineté n'est pas plus divisible que le point du géomètre...* » ;

et par Corneille, dans le « Cid » (1636) :

> ... *Pour grands que soient les rois, ils sont ce que nous sommes,*
> *Ils peuvent se tromper comme les autres hommes,*
> *Mais l'on doit ce respect au pouvoir absolu*
> *De n'examiner rien quand un roi l'a voulu.*

• *déférer : donner.*

Le renforcement du pouvoir royal, très visible déjà au xve siècle, à la fin de la guerre de Cent Ans, s'est précisé au xvie siècle. Avec les troubles des guerres de Religion et de la première moitié du xviie siècle, vient l'heure de la **monarchie absolue.** A la mort de Mazarin (1661), Louis XIV fait savoir que, désormais, il gouvernera sans premier ministre. **La monarchie absolue devient une réalité.**

• Que veut dire « absolue » ?

L'adjectif **absolu** (du latin *absolutus,* achevé) signifie : *détaché de toute contrainte, qui se suffit à lui-même.*
La monarchie absolue est celle qui, théoriquement, **donne tous les pouvoirs au roi,** et à lui seul. C'est une monarchie sans partage.
Cette monarchie est fille du **« droit divin ».** Puisque le roi est le représentant de Dieu sur la Terre, il est normal qu'il ait en main tous les pouvoirs. Sa parole est la loi vivante. *Lex Rex, Rex Lex = la loi c'est le roi, le roi c'est la loi,* dit l'adage latin. Le roi est aussi chargé de faire exécuter les lois dont il est la source unique. Il ajoute, par conséquent, à son **pouvoir législatif** le **pouvoir exécutif.** Il est enfin, nous l'avons vu, juge suprême : le **pouvoir judiciaire** lui appartient donc aussi. La monarchie absolue met tous les pouvoirs dans les mains d'un seul. Après sa disparition, elle fut accusée d'être le régime du « bon plaisir ». Dans les faits, le « bon plaisir » du roi n'est pas total ; le monarque est obligé de respecter certains **usages,** qui constituent les **lois fondamentales du royaume :** pas de femme, ni de protestant sur le trône, par exemple. Et, en chrétien préoccupé d'assurer son Salut, le roi est finalement soumis à sa conscience.
Enfin, l'absolutisme a toujours été considéré par les Français du temps comme le contraire même de la tyrannie.

• Les moyens de l'absolutisme

Ils sont, à nos yeux, étonnamment modestes. Ni le gouvernement, ni l'administration ne disposent de ce qui leur donne aujourd'hui la possibilité d'intervenir immédiatement partout et dans tous les domaines : les télécommunications, les transports rapides, les troupes spécialisées dans le maintien de l'ordre, les moyens financiers.
Sous Louis XIV, le gouvernement quitte Paris pour se fixer à Versailles. Il ne compte que six ministres, choisis et renvoyés par le

roi comme il lui plaît. Plusieurs fois par semaine, le roi les réunit en conseil, qu'il dirige ; on lui parle des problèmes en cours, mais, à la fin de la discussion, la décision est toujours prise par lui, ou du moins en son nom. Qui peut être ministre ? Tout le monde, à condition de se montrer digne de la confiance du roi par son travail, son imagination, sa discrétion.

Louis XIV a écarté des postes de ministre les princes de sang royal et les membres de la très haute noblesse. Il préfère les voir exercer, à sa

Louis XIV.
Portrait en pied
peint par
Hyacinthe Rigaud
en 1701.
(Musée du Louvre)

cour, des fonctions de domestiques* attachés à sa personne : <u>manière</u> élégante <u>de les surveiller</u> et de les empêcher de recommencer les troubles de la Fronde. Il leur préfère **les hommes actifs et ambitieux, d'origine plus modeste,** car il pense que, lui devant tout, ils lui seront plus dévoués. **Colbert** qui, de 1661 à sa mort (1683) fut chargé des Finances* et de la Marine, était fils de drapier* et le secrétaire d'État à la guerre, **Louvois** (mort en 1691), était fils du chancelier Le Tellier, lui-même bon serviteur de la monarchie.

• *La monarchie absolue dans les provinces*

La France est alors divisée en une trentaine de **provinces,** appelées **généralités,** très inégales en surface. Chacune garde une bonne partie des organes administratifs qu'elle a au moment, variable selon les provinces, où elle est rattachée au royaume. Cette diversité est une source de complications.

La monarchie ne cherche pas à unifier rapidement l'administration : elle a pour habitude de ne rien enlever à ce qui existe déjà, mais de créer des corps* nouveaux, quand elle juge qu'ils sont devenus nécessaires. La plus remarquable et la plus efficace de ces innovations est le corps des **intendants.** A partir du milieu du XVIIe siècle, chaque province en a un, que le roi nomme et déplace comme il lui plaît. Contrairement à tous les autres administrateurs, qui sont des **officiers** et, par conséquent, propriétaires de l'office qui leur permet d'exercer leurs fonctions — ce qui rend difficile et coûteux leur renvoi —, l'intendant est directement payé par le roi.

L'intendant doit être un gros travailleur : le personnel qui l'entoure pour l'aider dans ses multiples tâches est très peu nombreux : jamais plus de quelques dizaines de personnes. L'intendant a le devoir de rendre compte régulièrement à Versailles de son action ; mais le courrier circule alors beaucoup plus lentement que de nos jours et il faut au moins trois semaines pour amener une lettre de Marseille à Versailles par exemple — et autant pour la réponse ! Aussi laisse-t-on beaucoup d'initiative à <u>l'intendant :</u> sa <u>compétence</u> et son pouvoir s'étendent à peu près à tous les domaines ; il est « <u>le roi dans la</u>

• *domestique :* serviteur ; les serviteurs du roi sont des seigneurs qui vivent autour de lui, mais qui n'ont pas de poste important.
• *finances :* ici, l'argent de l'État.
• *drapier :* celui qui fabrique et vend des étoffes.
• *corps :* organe.

province ». Les autres autorités administratives n'aiment pas tellement cette toute-puissance et, parfois, montrent leur mauvaise humeur : c'est le cas des assemblées provinciales appelées **États provinciaux,** là où il y en a, ou des **municipalités.**

Quand prend fin la monarchie absolue en 1789, l'uniformisation administrative et judiciaire est donc loin d'être réalisée.

● Grandeur et malheurs coloniaux sous la monarchie absolue

Sous le règne de François Ier, qui avait vu Jacques Cartier toucher terre au Canada (1525), et surtout sous celui d'Henri IV, qui appuie les entreprises de Champlain (1526-1635) au Canada (où il fonde Québec, en 1608), la monarchie s'est, par moments, intéressée à l'**aventure maritime et coloniale.**

Colbert a poussé de toutes ses forces Louis XIV à mettre sur pied **une marine** qui fut, un temps, assez forte pour faire jeu égal avec celles réunies du Royaume-Uni et des Pays-Bas. Mais elle décline avec les difficultés de la fin du règne de Louis XIV. Lors des traités de 1713, **une partie du domaine colonial d'Amérique a dû être laissée aux Anglais.**

Au XVIIIe siècle, sous Louis XV, les Français, par une adroite politique d'entente avec des princes locaux, réussissent à contrôler une grande partie de l'**Inde ;** en même temps, des pionniers● explorent l'**Amérique du Nord** très loin en profondeur, derrière les colonies anglaises installées le long de la côte de l'Atlantique.

Au milieu du XVIIIe siècle, la **rivalité franco-anglaise éclate :** au cours de trois guerres, celle de la Succession d'Autriche (1740-1748), celle de Sept Ans (1756-1763) et celle de l'Indépendance Américaine (1775-1782), des escadres françaises et anglaises s'affrontent. Les deux premières guerres donnent aux Anglais l'Inde et le Canada ; la troisième permet aux Français d'aider les colons insurgés● d'Amérique à gagner leur indépendance et le traité qui met fin à cette guerre rend la vallée du Mississippi — c'est-à-dire la Louisiane — à la France.

● *pionnier :* quelqu'un qui fait quelque chose avant tous les autres.
● *escadre :* groupe de bateaux.
● *insurgé :* celui qui se révolte contre le pouvoir, qui prend les armes contre lui. On parle alors *d'insurrection*.

Les efforts de grands ministres de la marine, comme **Choiseul** (1719-1785) et **Sartine** (1729-1801) n'ont donc pas été également heureux. L'opinion est d'ailleurs peu favorable aux entreprises outre-mer. Voltaire qualifiait le Canada de *quelques arpents* • *de neige.*

Mais l'important, aux yeux des contemporains, est moins la puissance navale militaire que le **commerce maritime, créateur de gros profits** qui marquent le début du **capitalisme.** A la fin du XVIIIe siècle, à la veille de la Révolution française, le commerce maritime français, en particulier avec les Antilles, équivaut presque à celui de l'Angleterre et se développe plus vite que lui. Malgré son peu d'étendue, et bien qu'il ait été repris en partie par l'Angleterre, grâce aux guerres de la Révolution et de l'Empire (1792-1815), ce premier empire colonial français a une grande importance historique et culturelle. Il est une des racines les plus importantes du **monde francophone,** si vivant aujourd'hui au Québec, à l'île Maurice, aux Seychelles et même en Louisiane.

• *arpent :* ancienne mesure de surface des terres cultivables.

QUEBEC, *The Capital of* NEW-FRANCE, *a Bishoprick, and Seat of the Soverain* COURT.

1. The Citadel. 2. the Castle. 3. Magazine. 4.ÿ Recolets. 5. Ursulines. 6. Jesuits. 7. Cathedral of Our Lady. 8. The Palace. 9. ÿ Seminary. 10. The Hôtel Dieu. 11. S.t Charles River. 12. The Common Hospital. 13. The Hermitage of the Recolets. 14. The Bishop's House. 15. The Parish Church of the Lower Town. 16. The Upper Town v. ÿ Lower Town. 18. The Platform & Battery of Cannon. 19. The Ihe of Orleans. 20. Point Lieui.

Versailles et ses « enfants » : le classicisme

Louis XIV a fait de **Versailles,** à 16 kilomètres de Paris, le centre rayonnant de la monarchie française. Tout contribuait à cet éclat. La **majesté** qu'il a toujours voulu donner à chacun des actes de la vie de tous les jours à la cour qui l'entourait ; le **caractère imposant du palais et du parc ;** le génie de ses **architectes, décorateurs et jardiniers** Le Vau, Mansart, Le Brun, Le Nôtre. Le **protocole** — l'étiquette — faisait qu'à tout moment de la journée le roi était comme en représentation. Que pouvait faire la cour, sinon l'imiter et le servir avec attention ?

Ainsi domestiqués, les membres de la haute noblesse n'avaient plus ni le temps, ni la possibilité, ni bientôt même l'idée de se révolter contre le roi, comme trop souvent leurs ancêtres l'avaient fait, dans la tradition des grands féodaux, pour le plus grand malheur du petit peuple. Car c'est toujours sur ce peuple *imposable et corvéable à merci*• que retombe le poids de l'agitation des nobles. Versailles, par ses besoins toujours renouvelés de produits de luxe, a favorisé le développement de ce type d'industrie, dont les articles et la mode de Paris sont aujourd'hui les derniers héritiers. La formule de Versailles était si belle et si efficace que **tous les princes d'Europe se sont dépêchés de l'imiter :** Madrid, Lisbonne, Vienne (Schönbrunn), Berlin (Potsdam), Saint-Pétersbourg (Peterhof), Londres, mais aussi Bruxelles, La Haye, Copenhague, Stockholm, Karlsruhe... ont pensé ne mériter leur titre de capitales qu'en imitant, chacune à sa manière, le modèle créé par Louis XIV. Le **classicisme** est étroitement lié à Versailles. On appelle **classique** un art de mesure dont les auteurs — écrivains, poètes, artistes, architectes, musiciens —, se donnent pour règle de contrôler de la façon la plus stricte l'expression de leur pensée. Les pièces de théâtre obéissent à la **Règle des trois unités** — unité d'action, unité de temps, unité de lieu. D'un rythme plein de majesté, l'**alexandrin** — vers de 12 syllabes — est l'outil préféré des poètes.

Les bâtiments, aux formes géométriques simples, s'ordonnent avec une **symétrie**• qui est un exemple du **triomphe de la volonté et de l'ordre** sur le jaillissement plein de mouvement et d'exubérance qui caractérisent le **baroque** au début du XVIIᵉ siècle.

• *imposable et corvéable à merci :* on pouvait demander sans limites au peuple de l'argent (des impôts) et du travail (des corvées).
• *symétrie :* quand deux parties d'un bâtiment sont exactement pareilles, on dit qu'elles sont symétriques.

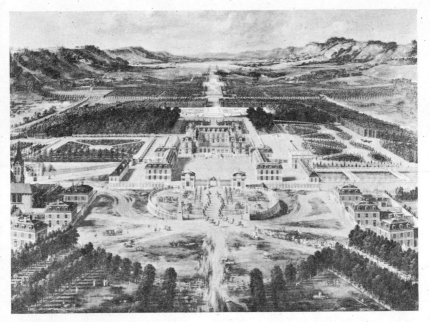

Par son architecture, son décor et ses jardins, *le château de Versailles,* auquel travaillèrent tous les grands artistes de l'époque, est considéré comme le modèle du classicisme français. Il fut imité dans l'Europe entière.

Dès 1664, Louis XIV avait confié à **Le Vau** l'agrandissement d'un pavillon de chasse construit par Louis XIII. En 1676, **Mansart,** le plus grand architecte du temps, prend la direction des travaux qui s'achèvent en 1695. Cette construction coûta des sommes énormes et de nombreuses vies humaines. La façade du château sur le parc, où se trouve la célèbre galerie des glaces, mesure près d'un demi-kilomètre. Le parc, entièrement clos de murs et coupé de 44 km de routes, avait une surface de plus de 10 000 hectares. Un artiste, **Le Nôtre** (1613-1700) en fit le chef-d'œuvre du jardin français. Face aux fenêtres de la « galerie des glaces » se déroule une immense perspective de terrasses et de jardins, ornés de bassins aux eaux jaillissantes, de groupes sculptés en marbre et en bronze. Elle se prolonge par le Grand Canal, long de plus d'un kilomètre et demi.

Vue perspective du château et des jardins de Versailles prise de la place d'Armes en 1668. Peinture de Pierre Patel (Musée de Versailles).

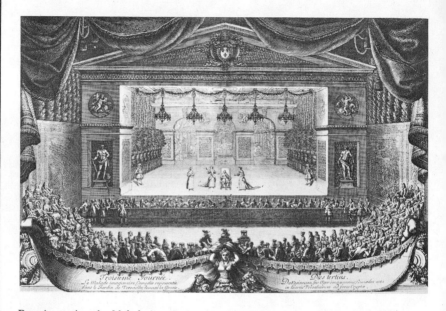

Représentation du *Malade imaginaire* de Molière à la troisième journée des fêtes de 1674 à Versailles (Bibl. Comédie Française).

Louis XIV s'intéressait aux arts et aux lettres et protégeait les écrivains. On jouait fréquemment à la cour les pièces des auteurs de théâtre de l'époque. Les deux plus célèbres furent Molière et Racine. **Molière** (1622-1673) écrivit plus de trente pièces. Parmi ses comédies les plus connues, on citera *Le Tartuffe, Le Misanthrope, L'Avare, Les Femmes savantes.* **Racine** (1639-1699) fut, trente ans après Corneille (1606-1684), un très grand tragique français. Parmi ses chefs-d'œuvre, on peut citer *Andromaque, Britannicus, Bérénice, Iphigénie, Phèdre.* Dans un style très pur, Racine peint avec force les passions de l'âme.

Ces vers, extraits de *Bérénice* (acte IV, sc. 5), sont parmi les plus célèbres de la langue française.

Dans un mois, dans un an, comment souffrirons-nous,
Seigneur, que tant de mers me séparent de vous,
Que le jour recommence et que le jour finisse
Sans que jamais Titus puisse voir Bérénice,
Sans que de tout le jour je puisse voir Titus ?

« *Un mal qui répand la terreur...* »

A la fin du XVIIe siècle, encore, le fabuliste La Fontaine montre la terrible peur que tous les hommes de son temps éprouvaient quand ils entendaient parler de **peste.**

A vrai dire, pendant bien des siècles, **on a appelé « peste » toutes les grandes épidémies*** causées par ce que nous appelons **des maladies infectieuses.** La peste est, bien sûr, du nombre et parmi les plus terribles. Mais le choléra, la grippe, la tuberculose, la variole et, sans doute, la scarlatine et la rougeole ont aussi causé des morts, par millions.

Comment expliquer pareils malheurs ? Par deux raisons, essentiellement. D'abord ces maladies ne se développent, de manière parfois très rapide, qu'**au milieu de populations affaiblies par une alimentation insuffisante.** Les grandes épidémies viennent bien souvent après les guerres, qui épuisent les ressources et **après les grandes disettes,** quand on ne trouve plus rien à manger. Or le vrai cauchemar* des campagnes et des villes — jusqu'au début du XIXe siècle — a été la peur de manquer de nourriture à la fin de l'hiver, quand s'épuise la récolte précédente, alors que la nouvelle est tout juste en train

de lever dans les champs : des pluies continues, un printemps tardif, un été trop humide, un hiver trop froid, comme le fut celui, tristement célèbre, de 1709, et c'est la catastrophe ! Ensuite la lutte contre l'épidémie est fort mal conduite, précisément parce qu'on ne connaît pas les causes de ces « mortalités », comme on disait à l'époque. Ne serait-ce pas le mauvais air — *mala aria* en italien — ou le résultat d'un empoisonnement criminel des fontaines et des puits ? Avec de telles idées, les solutions ne pouvaient guère être efficaces. Pendre ou brûler ceux que la colère populaire accuse d'avoir versé du poison dans l'eau, ajoute quelques victimes innocentes — étrangers, marchands, colporteurs, juifs — aux milliers de morts tués par l'épidémie. Quant à la protection contre les *vapeurs mauvaises que contient l'air,* elle conduisait... à favoriser l'extension de la maladie. Le port d'un masque plaqué sur le visage et d'une immense blouse enveloppant le corps de la tête jusqu'aux pieds était recommandé aux médecins et fossoyeurs*. Ces blouses, qu'on n'avait pas le temps de nettoyer, servaient à tous ; or elles étaient pleines de puces, de ces

---

- *épidémie :* maladie qui atteint un nombre très élevé de personnes en même temps.
- *cauchemar :* mauvais rêve.
- *fossoyeurs :* ceux qui enterrent les morts.

51

puces dont on sait aujourd'hui qu'elles sont, avec les rats sur lesquels elles vivent, les principales responsables des grandes épidémies de peste. L'insecte transmet aux bien-portants, quand il les pique, les microbes auparavant donnés par un rat infecté !

De la fin de l'empire romain... à 1918-1919, la France a été touchée par **de nombreuses épidémies.** Toutes ne sont pas de gravité égale, et n'ont pas laissé le même terrible souvenir. La plus tragique se place en 1348-1349, **au début de la guerre de Cent Ans.** L'Europe presque tout entière fut touchée et perdit **plus du tiers de sa population ;** pour la France seule, 8 à 12 millions de morts ! Sans doute les survivants y trouvèrent-ils avantage, puisque les ressources disponibles étaient à partager entre moins de personnes. Mais il fallut attendre trois siècles pour que la France retrouve une population à peu près égale à celle d'avant cette **grande peste noire.**

Au XVIIᵉ siècle, déchirée par des guerres civiles, la France était parcourue par des armées. Celle du roi Louis XIII comptait des pestiférés (des gens atteints de la peste) : en 1628-1629, elle a causé la mort de deux millions de personnes, un dixième de la population !

En 1720, la peste tue en quelques semaines la moitié des Marseillais. En 1832 encore, le choléra a frappé, à Paris même, des milliers de victimes dont le Premier Ministre du temps, Casimir Périer ; bien des écrivains de l'époque romantique et, parmi eux, George Sand, ont raconté ces semaines tragiques, qui ont marqué leur jeunesse.

En 1918-1919, la « grippe espagnole » a la réputation d'avoir tué en Europe autant d'hommes que la guerre (1914-1918) en quatre ans...

La peste en ville. Des chariots apportent les morts au cimetière.

Jusqu'aux **découvertes de Pasteur** et de son école, il y a un siècle, le seul moyen efficace de lutte contre les épidémies et leur extension était la « clôture », c'est-à-dire l'interdiction de toute communication entre les zones touchées par l'épidémie et le reste du pays. En fait, cet isolement n'est pas tellement possible, sauf dans les ports ; là, il est indispensable car la menace de contagion• est très grande. En effet, en Orient, ces maladies infectieuses existent à l'état « endémique », c'est-à-dire qu'elles se trouvent en permanence dans la population. Aussi, dès le Moyen Âge, tout bateau en provenance d'Orient doit **faire quarantaine :** on appelle ainsi le délai — il peut atteindre quarante jours — que doit observer l'équipage entre le moment de son arrivée en « santé franche », c'est-à-dire sans personne de malade à bord, et celui où il est autorisé à « prendre terre », à décharger sa cargaison. Précaution sage : pas de navire sans rats, pas de rats sans puces... C'est pour n'avoir pas suivi ces mesures que Marseille a été ravagée par la peste en 1720. Dans beaucoup de nos ports, un « bassin » ou un « clos de la quarantaine » et un « Lazaret » (l'hôpital maritime où l'on soignait les pestiférés) rappellent la très longue époque où la peste était « un mal qui répand la terreur... »

Habit des médecins et autres personnes qui visitent les pestiférés. Il est de maroquin (cuir) du Levant ; le masque a les yeux de cristal et un long nez rempli de parfums.

• *contagion :* quand une maladie « s'attrape » très facilement, on dit qu'elle est contagieuse ; on prend alors des mesures contre la contagion.

L'ère des révolutions

● *Le XVIIIe siècle, siècle français*

Chaque époque donne plus d'importance à une langue pour faciliter les rapports entre peuples différents : le latin au Moyen Âge, l'anglais aujourd'hui ; au XVIIIe siècle, c'était **le français.**
Depuis le traité de Westphalie (1648), le français est devenu la **langue de la diplomatie** et de sa forme écrite, les traités de paix. Il l'est resté, pendant trois siècles : les diplomates appréciaient sa précision et sa parfaite clarté.

Au XVIIIe siècle, plus encore qu'au XVIIe, le français est la langue de tous les Européens cultivés. On parle plus souvent français qu'allemand à la cour de Frédéric II de Prusse ou de Joseph II d'Autriche. Les Anglais eux-mêmes s'expriment bien souvent en français, entre eux, à un moment où une véritable **anglomanie** gagne les intellectuels français, de Montesquieu à Voltaire. **L'éclat de la littérature française** de l'époque n'est pas étranger à ce succès. L'*Encyclopédie,* que le courage de d'Alembert et de Diderot a permis de mener à son terme en seulement vingt ans (33 volumes, dont 11 de planches d'illustrations, nouveauté révolutionnaire pour l'époque), est un travail d'une telle importance qu'il a fallu attendre un siècle pour le voir surpassé. Son rayonnement s'est étendu jusqu'aux régions les plus lointaines touchées par la civilisation européenne : la Russie, mais aussi les colonies d'Amérique.

Comment un étranger aurait-il pu rester insensible à un pareil travail qui rassemblait sous une forme commode toutes les **lumières,** c'est-à-dire les acquis du savoir et de la raison ?
Enfin la **vitalité démographique**● de la France — État le plus peuplé d'Europe — et sa **vitalité artistique** — l'art et l'architecture français partout imités — donnent au rayonnement de la langue française d'autres bases, extrêmement solides.

● *démographie :* science qui étudie l'évolution, en quantité, des populations humaines.

• Un esprit nouveau : les Lumières

Dès la fin du règne de Louis XIV, des penseurs, des écrivains ont commencé à mettre en doute le bien-fondé de toutes les décisions prises par le roi : **la contestation de l'absolutisme** commençait.

Louis XIV avait vu mourir successivement tous les descendants que le droit dynastique désignait pour lui succéder. Quand il est mort, en 1715, à 77 ans, très grand âge pour l'époque, c'est son arrière-petit-fils qui devient roi, sous le nom de **Louis XV** : il a **cinq ans** seulement et une santé d'apparence fragile. Une régence est nécessaire.

Aussi longtemps qu'elle dure (1715-1723), **la plus grande liberté** se manifeste **dans les mœurs comme dans la pensée** :

Le temps de l'aimable Régence,
où l'on fit tout, excepté pénitence.

Le ton est donné. Tout le XVIIIe siècle est marqué par le même esprit. Le public cultivé se passionne pour les **débats d'idées.** C'est le moment où **Voltaire** (1694-1778) commence à écrire : il va devenir le grand écrivain à succès du temps.

Le magistrat **Montesquieu** (1689-1755) est aussi habile à indiquer les mauvais côtés de ses contemporains (*Les Lettres persanes,* 1721) qu'à définir avec profondeur, dans *l'Esprit des Lois* (1748), les principes sur lesquels, selon lui, la société doit être organisée. Bien d'autres, comme lui, se réclament du **Mouvement des Lumières.** C'est le cas de **Diderot** (1713-1784) qui est, avec le mathématicien **d'Alembert,** le maître d'œuvre de *l'Encyclopédie.* Ils y glissent des articles qui veulent **informer,** mais qui **démontrent** aussi **l'absurdité de beaucoup d'institutions ou de croyances,** à commencer par de nombreuses idées de la **religion chrétienne. Raison** et **tolérance•** deviennent les maîtres mots de toute l'**école philosophique.** Les œuvres de **Jean-Jacques Rousseau** (1712-1778), en particulier *Le Contrat Social* (1762), sont la « Bible » de tout un courant de pensée débouchant vers les idées nouvelles de **souveraineté nationale** et d'**égalité.** Au même moment, la France voit naître l'une des toutes premières et des plus importantes écoles d'**économie politique,** avec les économistes **Quesnay** (1694-1774), père de la formule « Laisser faire, laisser passer », qui est le résumé de la pensée du **libéralisme économique,** triomphant au XIXe

---

• *tolérance :* le fait d'accepter des manières de penser, de vivre, différentes des nôtres.

siècle, — **Gournay** (1712-1759), **Turgot** (1727-1781) et **Dupont de Nemours** (1739-1817) ; ce dernier, après avoir émigré aux États-Unis, pendant la Révolution, est le fondateur d'une des dynasties industrielles les plus célèbres et les plus riches du monde. Ces théoriciens n'ont pas fait que penser et écrire. Ils étaient aussi des praticiens[*] : **Turgot** a été **intendant** sous Louis XV et **ministre** sous Louis XVI ; et les autres ont su remarquablement diriger leurs propres affaires.

● *Vers la révolution de 1789*

Le règne de Louis XV (1715-1774) a été très long. Beaucoup de critiques lui ont été faites : le roi aurait été plus préoccupé de ses **plaisirs personnels** — il eut pour maîtresses Mme de Pompadour, Mme du Barry... et beaucoup d'autres... — qu'au bien de l'État ; il aurait **dépensé sans compter** les finances publiques dans les **guerres répétées,** inutiles et, pour certaines, perdues.
En fait, il est peu d'époques dans l'histoire où autant de progrès dans tous les domaines aient été accomplis.
Tout au long du XVIIe siècle comme dans les siècles précédents, la France avait subi disettes[*] et épidémies : celles-ci disparaissent après une dernière attaque en 1720. Jamais, auparavant, sauf peut-être au moment des belles années du Moyen Âge, les Français n'ont aussi bien vécu. Le confort, les plaisirs de la table, des voyages, de la lecture, de la conversation deviennent une habitude chez un nombre grandissant de Français ; pas seulement la très mince couche de la noblesse riche, mais tous ceux qui s'affirment par leurs talents : ni Voltaire, ni Diderot ne sont d'origine noble. L'un et l'autre sont reçus comme des amis par les plus grands rois du moment, Frédéric II de Prusse, Catherine II de Russie. Plus que jamais la « **République des lettres » est sans frontières ;** et c'est en français que s'exprime toute l'Europe cultivée. Cette noblesse francophone est aussi **cosmopolite,** ouverte à tout ce qui vient d'ailleurs. Les idées circulent d'un bout à l'autre de l'Europe, aussi vite que le permettent les moyens de communication, maintenant plus efficaces : la navigation est en grand progrès, et les routes royales font l'admiration de tous ceux qui, comme l'Anglais Arthur Young vers 1785, circulent à travers la France.

● *praticien :* qui met en pratique, qui exécute.
● *disette :* manque de nécessaire, spécialement de vivres.

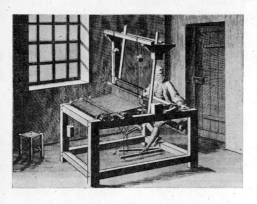

Planche de l'*Encyclopédie* : tissage du coton.
Voltaire à Ferney, gravure. B.N. Est.

MARIE F. AROUET DE VOLTAIRE
De l'Academie Francoise
En son Chateau de Ferney

Le XVIIIe s. est le siècle de la **philosophie,** de la **science** et du **cosmopolitisme.** La pensée et la littérature françaises empruntent à l'étranger mais sont aussi très largement connues et appréciées dans l'Europe tout entière. Le XVIIIe siècle remet en cause la monarchie, l'aristocratie et l'Église. La littérature devient une littérature critique, de combat. Les écrivains les plus célèbres furent **Bayle** (1647-1706), **Fontenelle** (1657-1757), **Montesquieu** (1689-1755), **Voltaire** (1694-1778), **Diderot** (1713-1784), **Buffon** (1707-1788), **Rousseau** (1712-1778).

L'Encyclopédie est un « Dictionnaire raisonné des sciences et des arts ». C'est une œuvre d'indépendance philosophique, religieuse et de vulgarisation scientifique. Diderot et d'Alembert en furent les maîtres d'œuvre mais tous les écrivains du temps y collaborèrent (Rousseau, d'Alembert, Voltaire, Helvétius...).

Curieusement, **le bien-être renforce la critique*** et **la contestation** : on met en cause la cruauté de **la justice, l'administration** parce qu'elle créé de nouveaux organes sans supprimer les anciens, ce qui apparaît peu rationnel ; dans l'autre sens, des critiques s'adressent à ces créations nouvelles qui prennent forme. Ainsi, les intendants finissent par être accusés de favoriser le pouvoir absolu. **Le pouvoir royal** lui-même est aussi **mis en cause** : d'absolu qu'il est, par la confusion des pouvoirs, ne vaudrait-il pas mieux le limiter par une **constitution** écrite ? Chacun des trois pouvoirs, exécutif, législatif, judiciaire, s'il était indépendant, y équilibrerait les deux autres, pour le plus grand bien des libertés individuelles.

La **monarchie absolue** donne, par ailleurs, prise à **la critique**. Depuis toujours, le roi a tendance à dépenser plus que ne lui rapportent les impôts. Augmenter ces derniers n'est guère possible, sans une réforme complète du système fiscal (des impôts). Les paysans sont les principales « vaches à lait » du fisc royal : sur eux pèsent les impôts directs royaux : la **taille** en totalité, la moitié de ce que rapportent **capitation** et **vingtièmes** ; ils paient encore le plus gros des impôts indirects, **gabelle** sur le sel, **aides** sur les boissons. Vieillie, la fiscalité souffre de deux maladies principales : elle est mal organisée et ne frappe pas assez les revenus du commerce ou de l'industrie, qui sont les deux activités montantes ; sa perception* est lourde et coûteuse. Mais comment améliorer le tout sans faire tomber ce qui est le fondement même de la société ? Celle-ci est divisée en **trois ordres** ou **« états »**, le **Clergé**, la **Noblesse** et le **Tiers État**, obéissant chacun à des lois qui leur sont propres. Le mot **privilège** (= loi privée), qui caractérise cette législation, a fini par désigner, au XVIIIᵉ siècle, les avantages reconnus aux deux ordres les plus élevés : clergé et noblesse. Ces deux ordres privilégiés sont parvenus, en effet, à échapper au plus gros des impôts royaux, ce qui augmente d'autant la charge pesant sur le troisième, appelé pour cela Tiers État : les roturiers, c'est-à-dire en très grande majorité les paysans.

S'il ne peut pas augmenter les impôts, le roi peut tenter d'**emprunter.** Il n'y a pas manqué : mais d'une manière assez modérée jusqu'à la fin du règne de Louis XV et aux premières années du règne de Louis XVI, son petit-fils, qui lui succède en 1774.

- *critique* : blâme, reproche.
- *la perception* : le fait de ramasser les impôts.

Claude-Joseph Vernet : *Construction d'une route de montagne* sous Louis XV.

Des ministres ont même tenté de grandes **réformes,** qui, mal comprises, n'ont pas tardé à être combattues par l'opinion publique, puis rejetées par le roi lui-même.

Parmi ces ministres les plus remarquables ont été **Maupeou** (chancelier en fonction de 1768 à 1774) et aussi **Turgot,** ministre de 1774 à 1776. Cet ami des philosophes décida de **grandes réformes économiques libérales,** comme la suppression des douanes intérieures, la libération du commerce et de l'industrie et eut l'idée d'une réforme des impôts. Ces mesures, pensées de façon d'ailleurs trop sèche, touchaient trop d'intérêts, et des intérêts trop puissants : **Turgot fut renvoyé** au bout de deux ans (1776).

• *L'absolutisme tué par la détresse financière*

Un État pauvre dans un pays riche : telle est la France à la veille de 1789. **Les dépenses de l'État,** alourdies monstrueusement par le coût de la guerre d'Indépendance américaine, **n'ont pu être financées par l'impôt :** entre 1780 et 1787, la monarchie a trois fois plus emprunté qu'au cours des trois siècles précédents. Cette politique a été lancée par les ministres des Finances, **Necker** (en fonction de 1776 à 1781, bien que protestant et genevois, donc étranger), puis par Calonne (en fonction en 1785- 1787) ; elle a, comme toujours, donné beaucoup de facilité d'abord au Trésor public, et créé une grande prospérité apparente : jamais l'État n'a autant dépensé qu'alors ; mais il fallait toujours de nouveaux emprunts pour payer les intérêts des précédents et assurer les dépenses courantes, que l'impôt ne couvre qu'aux trois quarts. En 1787, **le public perd confiance :** il refuse de prêter de l'argent à l'État, qui est au bord de la faillite. La **réforme du système fiscal,** toujours remise au lendemain, redevient de la plus urgente **nécessité :** comme il s'agit d'un véritable bouleversement des institutions, les usages veulent que le pays donne son avis : **il faut réunir les États Généraux.**

On appelle ainsi l'assemblée des représentants élus des trois ordres — Clergé, Noblesse, Tiers État — que la monarchie réunit seulement quand elle l'estime nécessaire, c'est-à-dire rarement : la dernière réunion a eu lieu en 1614-1615 !

● *1789 : des États Généraux à la monarchie constitutionnelle*

Obligée, à cause de ses graves problèmes financiers, de demander au pays un effort financier, la monarchie absolue ne tarde pas à disparaître.

Près des trois quarts des députés aux États Généraux rassemblés à Versailles à partir de mai 1789, pensent qu'ils ne peuvent se contenter d'accorder au roi l'argent qu'il réclame. Ils veulent savoir à quoi il sera utilisé, ce qui revient à exiger un **droit de contrôle de la nation** sur l'emploi de l'argent public ; en d'autres termes, **à mettre fin au secret des finances royales,** une des pièces essentielles de l'absolutisme. C'est là adopter une attitude révolutionnaire. Les députés déclarent représenter les 96/100e de la nation et se nomment **Assemblée nationale constituante.** Le roi refuse d'abord toute discussion, mais il doit finalement céder. D'abord parce qu'il a besoin d'argent ; mais aussi, parce que les députés reçoivent un appui inattendu et très important : celui du peuple de Paris. Une dernière fois, **le roi** tente de lutter : il **renvoie Necker,** son principal ministre, alors très populaire. A cette nouvelle, **la population de Paris** croit à un coup de force préparé par le roi. A la recherche d'armes, **le 14 juillet 1789, elle attaque la Bastille,** vieille forteresse du XIIe siècle, qui avait été transformée en prison d'État.

En même temps, **dans la plupart des campagnes, des soulèvements paysans** mettent fin au système féodal et exigent la disparition des

Attaque de la Bastille, 14 juillet 1789. Gravure de Prieur, B.N. La Bastille, vieille forteresse construite au XIVe s., devenue prison d'État, était le symbole de l'absolutisme du roi. Le 14 juillet 1789, elle fut assaillie par la foule qui pensait y trouver des fusils et des canons. L'attaque fit une centaine de morts et 75 blessés du côté des assaillants. Mais la garnison dut se rendre après quatre heures de lutte. Son gouverneur et ses officiers furent massacrés. L'anniversaire de la prise de la Bastille, victoire du peuple, se fête encore chaque année en France.

droits seigneuriaux. Une satisfaction de principe est donnée à ces demandes par l'Assemblée nationale : un vote **supprime les privilèges dans la nuit du 4 août 1789.** Trois semaines plus tard est votée la **Déclaration des Droits de l'Homme et du Citoyen.** En trois mois, **la monarchie absolue,** où le roi détenait tous les pouvoirs confondus sur l'ensemble des Français, ses « sujets », **a fait place à un régime constitutionnel :** le roi reste le chef de l'État ; mais **seul, le pouvoir exécutif** lui est laissé. Son rôle est de faire exécuter les lois que votent **les députés, représentants de la nation.** Les sujets sont devenus des **citoyens,** et la souveraineté, l'autorité que la conception absolutiste du droit divin faisait descendre d'en haut — de Dieu —, vient maintenant d'en bas — de **la masse des citoyens exprimant leur volonté par un vote.**

• *Le nouveau visage des institutions*

Toutes les institutions monarchiques sont jetées bas : elles sont rejetées parce qu'elles sont jugées trop différentes entre elles par les hommes de 1789 qui recherchent la raison et l'unité.

A leur place, un savant **équilibre des pouvoirs,** dans la ligne définie par Montesquieu. Une assemblée élue par le **suffrage censitaire** (= des seuls citoyens riches) exerce le pouvoir législatif. Le roi est chef de l'exécutif ; le pouvoir judiciaire est entièrement indépendant des deux autres et, lui aussi, entièrement reconstruit. La France actuelle doit toujours beaucoup aux progrès accomplis alors dans tous les domaines : administratif, judiciaire, financier, militaire... il y eut même, un peu plus tard — 1793 —, une tentative au succès sans lendemain pour introduire un calendrier révolutionnaire dont les mois portaient des noms poétiques, comme « vendémiaire », « germinal » ou « fructidor ».

• *Un quart de siècle de transformations*

Dès 1792, **la France est en guerre,** d'abord avec l'Empereur, c'est-à-dire l'Autriche, puis la Prusse, le Royaume-Uni, l'Espagne, les États italiens... toute l'Europe enfin. Et les guerres vont durer plus de vingt années, avec une seule interruption — très courte : dix-huit mois ! — en 1803-1804.

Louis XVI, soupçonné de trahir* la France pour l'Empereur, son beau-frère, est détrôné le 10 août 1792, condamné à mort et **guillotiné*** le 21 janvier 1793. La reine Marie-Antoinette connaît le même sort à l'automne. **La République,** décidée le 20 septembre 1792, se trouve aussitôt face aux plus **graves dangers.** L'assemblée qui détient alors le pouvoir législatif, de 1792 à 1793, **la Convention,** est la première à avoir été élue au suffrage universel. **Les partis s'y battent avec violence ;** d'abord les plus influents, les Girondins, sont chassés (beaucoup d'entre eux seront guillotinés), au milieu de 1793, par les Montagnards, partisans de la Terreur. Un comité de Salut Public, issu de la Convention, s'est formé, dans lequel **Robespierre** ne tarde pas à jouer le rôle principal. Mais il est à son tour remplacé en Thermidor — juillet 1794 — par les survivants de l'Assemblée.

- *trahir* : tromper. Pour un soldat, passer dans le camp ennemi.
- *guillotiner* : couper la tête à l'aide d'un instrument appelé *guillotine*.

Ces **Thermidoriens** s'accrochent au pouvoir : la **Convention** dure jusqu'à l'automne 1795, mais elle exige pour le régime qui lui succède, le Directoire, que les trois quarts des membres des futures assemblées soient choisis parmi les Thermidoriens. Soin finalement inutile : le Directoire ne tarde pas à tomber. Le **18 brumaire an VII** (9 novembre 1799), **le général Napoléon Bonaparte,** que ses victoires ont rendu très populaire, **s'empare du pouvoir par un coup d'État.** Il fonde **le Consulat** (1799-1804), bientôt transformé en **Premier Empire** (1804-1815).

De nombreuses victoires militaires dont les noms baptisent bien des ponts, des avenues ou des places des villes françaises — Rivoli, Marengo, Austerlitz, Iéna, Wagram... — finissent par une coalition• générale de l'Europe contre la France impériale : après une guerre

• *coalition :* union de plusieurs pays — ou de plusieurs partis — contre un autre.

Napoléon Ier, coiffé de son célèbre chapeau, donne ses ordres avant la bataille d'Austerlitz, le 2 décembre 1805. Peinture de Carle Vernet (1808) (Musée de Versailles).

meurtrière en Russie — 1812 —, l'Empire tient tête encore pendant un an, lors de la campagne d'Allemagne, 1813 ; mais en 1814, la France est envahie ; Napoléon doit abdiquer, c'est-à-dire quitter le pouvoir. Il est exilé[*] par ses vainqueurs à l'île d'Elbe, d'où il revient au début de 1815, pour tenter à nouveau, en vain, sa chance durant les **Cent jours** (mars-juin 1815). Le 18 juin 1815, **la bataille de Waterloo,** en Belgique, gagnée par l'Anglais Wellington et le Prussien Blücher, met fin à l'aventure napoléonienne, commencée vingt ans plus tôt. **Napoléon abdique,** se livre aux Anglais, qui l'exilent à l'île de Sainte-Hélène, dans l'Atlantique Sud, à 6 000 kilomètres de la France. Il y meurt en 1821.

Napoléon compte finalement plus par **les institutions nouvelles qu'il a apportées** que par la gloire militaire. Car les résultats de cette dernière apparaissent bien négatifs ; la France de 1815 **a perdu toutes les conquêtes** faites depuis 1792 et se retrouve à peu près dans ses frontières d'avant la Révolution : fallait-il tuer trois ou quatre millions d'Européens, dont un tiers de Français, en vingt ans, pour pareil résultat ? A peu près toutes les colonies ont été perdues ; le commerce maritime, si brillant en 1789, est totalement ruiné. Et la France en sort avec une mauvaise « image de marque », au moins aux yeux des gouvernements qui l'ont vaincue par leur coalition. Pendant un demi-siècle, elle a la réputation d'être le **trouble-fête en Europe,** ce qui justifie la création contre elle d'institutions de surveillance : on la croit capable de donner **la maladie de la révolution.** La plus importante de ces institutions de surveillance sera, après 1815, **la Sainte Alliance.**

• *La descendance de la Révolution française*

Du début de la Révolution française — 1789 — à la fin de l'Empire — 1815 —, il s'est écoulé un quart de siècle. Ces vingt-cinq ans forment un bloc, aussi bien dans la **conscience collective des Français,** que dans **celle des Européens.**

Aux Français, l'époque révolutionnaire et impériale a apporté d'abord des **images de gloire,** mais aussi des **désillusions.** La France s'est montrée assez puissante pour être capable d'équilibrer, à elle seule,

---

• *exiler :* chasser quelqu'un de son pays, l'envoyer dans un autre pays, le plus souvent pour des raisons politiques.

toute l'Europe, pendant bien des années; mais elle a, en définitive, perdu.

Ensuite la France, **blessée** par la défaite militaire, l'est aussi **par les déchirements entre Français.** Ceux d'entre eux qui avaient refusé la Révolution et choisi l'exil de l'émigration pour combattre aux côtés de ses ennemis, avaient finalement gagné, même s'ils n'avaient pu rétablir la France de 1788, comme certains le souhaitaient. Pour les partisans de la Révolution, ce triomphe partiel était amer. La crainte de voir nobles et clergé réclamer la restitution des « biens nationaux », qui leur avaient été confisqués, puis qui avaient été achetés par de nombreux propriétaires demeurés, eux, en France, est restée très vivante pendant tout le XIXe siècle. Elle a beaucoup fait pour éloigner finalement les Français de la monarchie et leur faire préférer, dès 1830, le drapeau tricolore de la Révolution au drapeau blanc des Bourbons.

En troisième lieu, la France a fait l'expérience d'un **gouvernement dictatorial** (tyrannique) : le grand danger couru par la patrie a expliqué l'installation du **Comité de Salut Public.** Ses membres les plus actifs appartenaient au Club des Jacobins. Leur ambition était une **république une et indivisible.** Tout ce qui ne rentrait pas dans la norme* était, à leurs yeux, suspect et devait, par conséquent, être détruit. Uniformité au nom de la raison.

Napoléon Bonaparte avait été jacobin : les réformes qu'il a apportées à la France s'inspirent directement de ces idées ; en particulier une **centralisation administrative** beaucoup plus forte que sous l'Ancien Régime.

Aux yeux de l'étranger, la France a acquis une étrange réputation : celle d'**une force qui peut apporter le désordre et l'instabilité.** Aussi la France garde-t-elle **la sympathie de ceux qui,** peu nombreux, **souhaitent voir détruit l'ensemble politique et territorial établi par le traité de Vienne** de 1815. La France révolutionnaire est un **modèle pour les révolutionnaires européens ;** pour eux, la *Marseillaise,* le *Chant du Départ,* la *Carmagnole* ou le *Ça ira** sont aussi des modèles à imiter. Par contre, **les gouvernements se méfient de la France ;** ils voient en elle une **source de révolutions,** non sans raison. Paris se soulève en 1830 et 1848 contre le gouvernement alors au pouvoir et l'Europe, aussitôt, traverse une crise révolutionnaire. Ces gouvernements pensent, également, que les ambitions et les rancunes françaises peuvent replonger l'Europe dans la guerre. C'est pourquoi, encouragés par Metternich, ministre influent de l'empereur d'Autriche, ils surveillent de près de 1815 à 1848, les signes de bouleversement que la France, au moins par ses idées, pourrait encourager.

- *norme :* principe qui tient lieu de règle, de loi.
- *Marseillaise, Chant du Départ, Carmagnole, Ça ira :* chants révolutionnaires. *La Marseillaise* est aujourd'hui encore le chant national des Français.

Le passé présent

Des périodes révolutionnaire et impériale, **la France est sortie transformée,** et l'héritage dure, en grande partie entier jusqu'à nos jours.

Au niveau des principes politiques d'abord, l'unité nationale a été renforcée : économiquement par la suppression des barrières douanières entre provinces, très gênantes jusqu'en 1789, ce qui crée **un marché national unique.** La remise en état des routes nationales, le creusement de nouveaux canaux et surtout les chemins de fer, après 1850, devaient permettre réellement les progrès du marché national. Politiquement, la France a été déclarée **une et indivisible** puisque son unité est fondée sur la somme des volontés librement exprimées par tous, suivant le principe de la **conception démocratique de la souveraineté nationale.** Celle-ci puise sa force dans le vote, suffrage censitaire au début, c'est-à-dire réservé aux plus riches, seuls capables de payer un impôt dont le montant minimum marque le seuil du droit de vote : ce minimum est appelé « cens ». Le droit de vote est devenu universel (réservé toutefois aux hommes), en 1792 ; pour peu de temps, car la Restauration rétablira le suffrage censitaire, et ce n'est qu'en 1848 que le suffrage universel sera rétabli.

L'ensemble de ces idées nouvelles est résumé par la **Déclaration des Droits de l'Homme,** véritable « Bible » de l'esprit libéral et national, et symbolisé à la fois par la devise **« Liberté, Égalité, Fraternité »,** choisie plus tard par la IIe République ; par le drapeau tricolore, drapeau national depuis 1789, sauf pendant la courte période 1814-1848 ; et enfin par la fête nationale, célébrée tous les 14 juillet à partir de 1889, un siècle après la Révolution elle-même.

Aux points de vue gouvernemental et administratif, **la séparation des pouvoirs** donne à une ou plusieurs assemblées délibérantes et élues le pouvoir législatif et le contrôle du pouvoir exécutif, tout en garantissant l'indépendance de la justice. La France est partagée en **départements,** créés en 1790. Dans la plus grande ville — le chef-lieu — de chacun de ces départements, siègent un **conseil général** élu et un **Préfet.** Nommé par le ministre de l'intérieur, le Préfet, dont le poste a été créé par Napoléon, est le chef de la **centralisation administrative,** particulièrement voulue par l'esprit jacobin. **L'organisation de la justice** est totalement revue. La plupart des magistrats sont désormais payés par l'État, comme des fonctionnaires• ; mais pour

---

• *fonctionnaires :* ceux qui travaillent dans l'administration, c'est-à-dire pour l'État.

DÉCLARATION
DES DROITS DE L'HOMME
ET DU CITOYEN,

Décretés par l'Assemblée Nationale dans les séances des 20, 21, 23, 24 et 26 août 1789, accepté par le Roi.

PRÉAMBULE

Les représentans du peuple François, constitués en assemblée nationale, considérant que l'ignorance, l'oubli ou le mépris des droits de l'homme sont les seules causes des malheurs publics et de la corruption des gouvernemens, ont résolu d'exposer, dans une déclaration solennelle, les droits naturels, inaliénables et sacrés de l'homme; afin que cette déclaration, constamment présente à tous les membres du corps social, leur rappelle sans cesse leurs droits et leurs devoirs; afin que les actes du pouvoir législatif et ceux du pouvoir exécutif, pouvant être à chaque instant comparés avec le but de toute institution politique, en soient plus respectés; afin que les réclamations des citoyens, fondées désormais sur des principes simples et incontestables, tournent toujours au maintien de la constitution et du bonheur de tous.

En conséquence, l'assemblée nationale reconnoît et déclare, en présence et sous les auspices de l'Être suprême, les droits suivans de l'homme et du citoyen.

ARTICLE PREMIER.

Les hommes naissent et demeurent libres et égaux en droits; les distinctions sociales ne peuvent être fondées que sur l'utilité commune.

II

Le but de toute association politique est la conservation des droits naturels et imprescriptibles de l'homme; ces droits sont la liberté, la propriété, la sûreté, et la résistance à l'oppression.

III

Le principe de toute souveraineté réside essentiellement dans la nation; nul corps, nul individu ne peut exercer d'autorité qui n'en émane expressément.

IV

La liberté consiste à pouvoir faire tout ce qui ne nuit pas à autrui. Ainsi, l'exercice des droits naturels de chaque homme, n'a de bornes que celles qui assurent aux autres membres de la société la jouissance de ces mêmes droits; ces bornes ne peuvent être déterminées que par la loi.

V

La loi n'a le droit de défendre que les actions nuisibles à la société. Tout ce qui n'est pas défendu par la loi ne peut être empêché, et nul ne peut être contraint à faire ce qu'elle n'ordonne pas.

VI

La loi est l'expression de la volonté générale; tous les citoyens ont droit de concourir personnellement, ou par leurs représentans, à sa formation; elle doit être la même pour tous, soit qu'elle protège, soit qu'elle punisse. Tous les citoyens étant égaux à ses yeux, sont également admissibles à toutes dignités, places et emplois publics, selon leur capacité, et sans autres distinctions que celles de leurs vertus et de leurs talens.

VII

Nul homme ne peut être accusé, arrêté ni détenu que dans les cas déterminés par la loi, et selon les formes qu'elle a prescrites. Ceux qui sollicitent, expédient, exécutent ou font exécuter des ordres arbitraires, doivent être punis; mais tout citoyen appelé ou saisi en vertu de la loi, doit obéir à l'instant; il se rend coupable par la résistance.

VIII

La loi doit établir que des peines strictement et évidemment nécessaires, et nul ne peut être puni qu'en vertu d'une loi établie et promulguée antérieurement au délit, et légalement appliquée.

IX

Tout homme étant présumé innocent jusqu'à ce qu'il ait été déclaré coupable, s'il est jugé indispensable de l'arrêter, toute rigueur qui ne seroit pas nécessaire pour s'assurer de sa personne doit être sévèrement réprimée par la loi.

X

Nul ne doit être inquiété pour ses opinions, mêmes religieuses, pourvu que leur manifestation ne trouble pas l'ordre public établi par la loi.

XI

La libre communication des pensées et des opinions est un des droits les plus précieux de l'homme; tout citoyen peut donc parler, écrire, imprimer librement; sauf à répondre de l'abus de cette liberté dans les cas déterminés par la loi.

XII

La garantie des droits de l'homme et du citoyen nécessite une force publique; cette force est donc instituée pour l'avantage de tous, et non pour l'utilité particulière de ceux à qui elle est confiée.

XIII

Pour l'entretien de la force publique, et pour les dépenses d'administration, une contribution commune est indispensable; elle doit être également répartie entre tous les citoyens, en raison de leurs facultés.

XIV

Les citoyens ont le droit de constater par eux-mêmes ou par leurs représentans, la nécessité de la contribution publique, de la consentir librement, d'en suivre l'emploi, et d'en déterminer la quotité, l'assiette, le recouvrement et la durée.

XV

La société a le droit de demander compte à tout agent public de son administration.

XVI

Toute société, dans laquelle la garantie des droits n'est pas assurée, ni la séparation des pouvoirs déterminée, n'a point de constitution.

XVII

Les propriétés étant un droit inviolable et sacré, nul ne peut en être privé, si ce n'est lorsque la nécessité publique, légalement constatée, l'exige évidemment, et sous la condition d'une juste et préalable indemnité.

AUX REPRÉSENTANS DU PEUPLE FRANÇOIS.

EXPLICATION DE L'ALLÉGORIE.

Sur un beau pied destal, ornemté d'un socle où se trouve la déclaration des droits, rapports par son pêiche, l'un côté la France ayant brisé ses fers de l'autre la loi, indiquant du doigt les droits de l'homme; et montrant avec son sceptre l'œil supérieur de la raison, qui vient dissiper les nuages de l'erreur qui l'obscurcissoient.

Les tables des droits de l'homme attachées et contenues sur le pied destal par un lacis ou faisceau surmonté d'un bonnet. Aux côté de tout sont d'une part, le chêne-bonheur de chaque côté en pendant offrant tout à la fois l'union des départemens du Royaume le bien de la commune, la prudence et la source du gouvernement.

Se vend à Paris, chez Janfret, Md d'Estampes, au Palais Royal No 146, et Au Md Laquiere, Rue Phélippeaux No 45.

garantir leur liberté dans les jugements qu'ils sont amenés à prononcer, ils sont inamovibles, c'est-à-dire que l'État, leur employeur, ne peut les déplacer sans qu'ils soient d'accord. **L'organisation financière et fiscale** a duré, presque intacte, jusqu'au début du XXe siècle, ainsi que le **système des impôts** directs et indirects, le **franc-or** ou franc Germinal et la **Banque de France,** seule à pouvoir émettre des billets de banque et de la monnaie.

Datent également de cette période :
- l'idée de **service militaire obligatoire** et de **conscription**, fondés sur le principe de l'égalité devant l'impôt de sang que tout Français doit être prêt à verser pour défendre son pays ;
- la définition des rapports entre l'Église et l'État par un **Concordat** qui a duré un siècle (1801-1905) ;
- le **système métrique** des poids et mesures ;
- la mise en place de l'**Université** dont les professeurs, recrutés par concours et payés par l'État, sont les seuls à pouvoir donner les titres universitaires — baccalauréat, licence, doctorat — aux candidats reçus aux épreuves définies par des programmes précis ;
- les **lycées** qui assurent l'enseignement secondaire ;
- les **Écoles normales** qui forment les enseignants ;
- les **Grandes Écoles** qui forment des ingénieurs (comme « Polytechnique », « les Ponts et Chaussées »...) ou des officiers (« Saint-Cyr », « École navale »...) ;

Napoléon a veillé à faire rassembler dans des codes, dont le **code civil de 1804** est le plus important, l'ensemble des lois ; pour l'essentiel, elles restent aujourd'hui en usage ; comme l'ordre national de la **Légion d'Honneur** qui est, toujours, la décoration la plus prestigieuse et récompense les services rendus à l'État.

- *conscription* : inscription, à l'armée, de tous les jeunes gens de vingt ans.

Expansion économique et combats d'idées : 1815-1870

● *Cinquante ans, trois régimes, trois révolutions*

Après Napoléon, la **monarchie constitutionnelle** est restaurée, pour un tiers de siècle, mais non sans problèmes.
Les deux frères de Louis XVI règnent successivement pendant la **Restauration** :
Louis XVIII, de 1814 à 1824, sauf le bref retour napoléonien des **Cent jours** au début de 1815 ;
Charles X, de 1824 à 1830.
Après un an de luttes sanglantes — la **« terreur blanche »** (1814-1815), — on traverse une période de **retour au calme.** Peu à peu la « France nouvelle », fidèle au souvenir du drapeau tricolore, tente de se réconcilier● avec la « France ancienne », celle des émigrés et de tous ceux qui, regrettant l'Ancien Régime, sont heureux de voir le drapeau blanc à fleur de lys être le drapeau français.
C'est aussi une période d'**équilibre financier,** pour rétablir le crédit de l'État touché par les dépenses catastrophiques de la défaite finale de Napoléon. La Restauration a eu deux autres grands mérites : elle a mené une **politique pacifique à l'extérieur,** pour rassurer les autres États d'Europe, toujours prêts à soupçonner la France de vouloir étendre ses frontières ; elle a permis à la France l'**apprentissage du libéralisme** politique et du régime parlementaire. Seuls profitent de ces institutions les Français sufisamment riches pour avoir le droit de vote. Ils sont 100 000 sur les 32 000 000 d'habitants du pays.
Le régime n'a pas conscience des dangers que présente, pour lui, **la base très étroite** sur laquelle il s'appuie. En 1828-1829, des voyages en province ont montré que le roi était populaire : partout il a été acclamé, mais ceux qui l'acclament n'ont pas le droit de vote ! D'après la Constitution, seuls comptent les citoyens qui forment le « pays légal » ; le reste de la population n'a aucun poids politique. Or le gouvernement ultra-royaliste nommé par Charles X à partir de 1828

● *se réconcilier :* se remettre d'accord après avoir été fâché.

commet bien des fautes qui finissent par unir contre lui tous les opposants du « pays légal ». Pour les désarmer, Charles X compte sur la gloire toute neuve qu'apporte à son gouvernement la **prise d'Alger** (5 juillet 1830). Il se croit assez fort pour dissoudre[•] à nouveau la Chambre des députés — où les élections ont donné la majorité à l'opposition —, changer la loi électorale pour priver du droit de vote la plus grande partie de la bourgeoisie et supprimer pratiquement toute la liberté de la presse. Ces mesures, qui bouleversent les lois appliquées depuis la chute de Napoléon sont, en plus, prises par **« ordonnances royales »**, c'est-à-dire sans que l'Assemblée en ait délibéré (discuté et décidé).

C'en est trop. Des journalistes courageux — Carrel, Mignet, Thiers — aident à la naissance d'un **soulèvement contre le gouvernement** où se mêlent bourgeois, étudiants et ouvriers. Trois jours d'insurrection à Paris, les **Trois glorieuses,** 27-29 juillet 1830, forment la **Révolution de 1830,** ou Révolution de juillet. Charles X part pour l'exil ; un de ses cousins, le duc d'Orléans, devient roi sous le nom de **Louis-Philippe Ier** pendant la **Monarchie de juillet** (1830-1848).

La **Constitution,** appelée « Charte » depuis 1814, est **à peine changée ;** le suffrage reste censitaire, un peu moins limité toutefois qu'avant 1830 — 200 000 électeurs au lieu de 100 000... toujours sur 32 000 000 d'habitants — et le drapeau tricolore redevient le symbole national. La liberté de la presse est à nouveau proclamée : elle reste effective jusqu'en 1835.

Mais le régime ne cherche pas à évoluer ; une partie grandissante de l'opinion publique lui reproche son immobilisme, en particulier à la fin du long **ministère Guizot** (1840-1848). En 1846-1847, de mauvaises récoltes et une crise économique rendent la vie difficile, dans les villes surtout. Une réforme électorale, qui aurait abaissé le cens et donné le droit de vote à de nouvelles couches de la bourgeoisie moyenne, aurait probablement suffi à faire taire la plupart des mécontents. Elle est proposée trop tard : en février 1848, à la surprise de tous, **deux jours d'émeute[•]** à Paris (23 et 24 février 1848) jettent bas la monarchie. Louis-Philippe, à son tour, part pour l'exil. Et une **IIe République s'installe.**

Elle dure à peine quatre ans (février 1848 - décembre 1851). Dès le

---

• *dissoudre :* renvoyer les députés qui cessent, par conséquent, d'avoir le droit de se réunir et de voter la loi.
• *émeute :* soulèvement populaire.

début, les bourgeois libéraux se trouvent en face d'une **agitation** démocratique et de **revendications** ouvrières. Les progrès de l'industrie ont commencé et le nombre des ouvriers augmente ; ils se concentrent dans quelques villes, en particulier à Paris. La **crise économique,** très sévère de 1846 à 1848, rend leurs conditions de vie encore plus difficiles. Ils attendent beaucoup de la République : dès février 1848, on avait proclamé le **suffrage universel** et le **droit au travail** — c'est-à-dire la garantie donnée par l'État que tout homme doit pouvoir gagner sa vie par son travail et l'obligation pour l'État de lui en fournir ou de lui verser un secours en cas de chômage. En masse, les chômeurs arrivent vers des **ateliers nationaux** créés par l'État pour leur donner du travail et un salaire. Cette politique d'aide coûte cher. Les hommes politiques au pouvoir décident de fermer les ateliers, alors que le chômage est toujours là. La réponse est une terrible insurrection ouvrière écrasée dans le sang lors des **journées de juin 1848.** La IIe République est donc conservatrice. La nouvelle Constitution qui entre en vigueur partage les pouvoirs entre une **Assemblée nationale** responsable du **législatif** et le **Président de la République** chargé de **l'exécutif,** l'un et l'autre élus au suffrage universel. Personne n'avait prévu que le pays allait choisir pour Président de la République **le neveu de Napoléon Ier, Louis Napoléon Bonaparte** (10 décembre 1848).

Par un **coup d'État,** le 2 décembre 1851, ce dernier prend le pouvoir ; il devient **empereur** sous le nom de **Napoléon III** et fonde le **Second Empire** (1852-1870).

Une **nouvelle constitution** est proposée par un plébiscite — un vote du peuple —, au pays qui l'approuve massivement. La masse des paysans — les trois quarts de la population alors — et beaucoup de conservateurs, épris d'ordre et soucieux de sauver leur fortune qu'ils croient menacée depuis les journées de juin, ont voté pour elle ; bien des ouvriers, aussi : Napoléon, pensent-ils, n'a pas fait tirer sur eux, puisqu'il n'était pas alors au pouvoir. Les seuls véritables ennemis de l'Empire sont, au début, quelques républicains et quelques royalistes qui reprochent au régime d'être dictatorial.

Très autoritaire, en effet, et appuyé sur une police très active, le régime devient **plus libéral** à partir de 1860, et même presque parlementaire au printemps 1870. Personne alors ne peut imaginer qu'il est à la veille de sa chute ; celle-ci intervient lors d'une manifestation parisienne le 4 septembre 1870 : la France, en guerre contre la Prusse depuis juillet 1870, vient de connaître une série de défaites militaires, qui conduisent les républicains à proclamer la déchéance de Napoléon III : ils ne le reconnaissent donc plus comme empereur.

● *La France au cœur des combats d'idées*

Le **romantisme** marque toute la première moitié du XIXᵉ siècle. Sans doute n'est-il pas né en France ; mais c'est en France qu'il s'est épanoui avec le maximum de force et de diversité. C'est là, aussi, qu'il a donné naissance aux débats les plus passionnés, en particulier contre les défenseurs des conceptions classiques de la littérature, du théâtre et de l'art.

La chance du romantisme est d'avoir compté les plus grands talents de l'époque : en poésie, **Lamartine, Vigny, Musset** et surtout **Victor Hugo ;** en musique, **Berlioz ;** dans les arts plastiques, les peintres **Géricault et Delacroix,** le sculpteur **Rude.**

Le **positivisme** est également une philosophie française de l'époque ; son fondateur, **Auguste Comte** (1798-1857) place par-dessus tout la science et la raison, ce que les découvertes étonnantes et les progrès techniques immenses de l'époque paraissent justifier. De là le nom de « scientisme » donné à certaines manifestations de ce courant de pensée.

La société est, à son tour, soumise à étude et théorie. Les maîtres à penser du royalisme, de Maistre et de Bonald jettent les bases de la **sociologie,** probablement sans se rendre compte qu'ils créent une science nouvelle. La misère, liée au développement du « capitalisme sauvage » du début de l'ère industrielle, favorise la naissance d'**idées socialistes.** La première grande école socialiste est française : après les premiers penseurs, **Saint-Simon** (1760-1825) et **Fourier** (1772-1837), apparaissent les œuvres maîtresses de **Louis Blanc** (1811-1882), **Cabet** et **Proudhon.**

Marx devait dédaigneusement, après la publication de son **Manifeste communiste** (1848), les traiter de « socialistes utopiques* ». En fait, ils sont les premiers à s'être occupés des moyens de supprimer l'inégalité à la naissance entre les hommes.

Ces mouvements d'idées, ces pensées généreuses ont trouvé un écho dans nombre de consciences féminines. Parmi ces femmes, la plus célèbre, celle qui fait encore aujourd'hui figure de porte-drapeau du féminisme, est George Sand.

● *utopique :* impossible à réaliser.

La Liberté guidant le peuple le 28 juillet 1830. Peinture d'Eugène Delacroix (Musée du Louvre).

Le romantisme, apparu en France à l'époque napoléonienne, est une conception nouvelle de la vie et de l'art. Il se définit d'abord comme un mouvement de révolte contre le classicisme, un mouvement de révolte contre les règles, l'ordre et la mesure. En littérature, en peinture comme en musique, le romantisme met le cœur, l'imagination, la fantaisie et même le désordre au-dessus de la raison. Le classicisme étudiait l'Homme dans ce qu'il a de plus général, le romantisme dans ce qu'il a de plus intime et passionné. L'auteur, le peintre, le musicien n'hésitent pas à se mettre en scène, à peindre leurs sentiments, même excessifs, leurs joies, leurs peines.

• Une France en expansion

A l'époque de la Révolution et de l'Empire, la France est encore le
pays le plus peuplé d'Europe après la Russie. Mais au xixe siècle,
elle **ne s'accroît plus guère.** De 32 millions en 1815, elle passe à 39
millions un siècle plus tard. Dans le même temps, le Royaume-Uni
multiplie sa population par 2,5 (40 millions en 1914) ; l'Allemagne
(près de 70 millions en 1914) et l'Italie (40 millions en 1914) doublent
pratiquement la leur, tout en envoyant par millions des émigrants fort
loin, vers les Amériques surtout.

Cette **stagnation°** **démographique** relative est destinée à faire école
un siècle plus tard : la diminution des naissances, que la France
contemporaine est la première à avoir appliquée en grand au xix^e
siècle (ce qu'on a appelé, avec un peu d'exagération, la « politique de
l'enfant unique »), est, aujourd'hui, générale en Europe.

Mais stagnation démographique ne signifie pas stagnation économique. Comme elle est le plus grand État de l'Europe continentale et le
seul à être unifié jusqu'en 1870, **la France accomplit de grands**
progrès. Surtout à partir de 1840 et, plus encore, sous le Second
Empire, elle entre dans l'**ère industrielle.** Aux industries textiles, déjà
très développées au début du xixe siècle s'ajoutent, alors, l'extrac-
tion du charbon, la métallurgie, la construction de machines de toutes
sortes. Les nouvelles usines choisissent de s'installer là où le charbon,
unique source d'énergie à l'époque, est disponible : sur le carreau des
mines, dans le Nord et le Centre, plus que dans l'Est ; dans les ports
de la façade atlantique où il peut être importé facilement ; dans
quelques villes, comme Lyon et Paris, bien desservies par les
nouvelles voies de communication. **Le réseau° ferré,** inexistant
encore en 1840, se dessine alors. En 1870, à la fin du Second Empire,
18 000 km sont construits et exploités. C'est, à peu de chose près, le
réseau qu'aujourd'hui la S.N.C.F., héritière et continuatrice des
compagnies privées du début, estime nécessaire et rentable° pour
l'économie nationale. Le chemin de fer plus que les **canaux,** dont la
longueur augmente pourtant, elle aussi, donne à la France les moyens

---

• *stagnation :* le fait de ne plus avancer, de rester sur place. Ici : quand les morts et les
naissances s'équilibrent, la population n'augmente pas.
• *réseau :* ici : ensemble de voies ferrées.
• *rentable :* qui rapporte de l'argent.

Inauguration du chemin de fer de Reims.

de liaison qui créent, dans les faits, le **marché national unique,** rendu possible institutionnellement par l'unification née sous la Révolution. Désormais **chaque région tend à se spécialiser** dans les productions pour lesquelles elle est, naturellement, la plus douée ; et les voyages, jusque-là réservés à une étroite minorité de gens riches, se démocratisent. La France a aussi « rétréci »... en temps : de 10 jours de voyage du Nord au Sud, et de l'Est à l'Ouest, au début du XIXe siècle, elle « mesure », vers 1870, moins de deux journées.

Le **commerce intérieur** est favorisé ; le **commerce extérieur** se développe puissamment, avec les traités de **libre échange** mis au point par Napoléon III. Le premier a été conclu en 1860 avec l'Angleterre, à l'époque l'État le plus développé au point de vue industriel. La concurrence étrangère oblige les chefs d'entreprises à moderniser leurs établissements sous peine de disparaître. De 1860 à 1890 environ, l'économie française progresse aussi et même parfois plus vite que celle de ses principaux concurrents.

En même temps s'installe un **système bancaire** de type nouveau ; de grandes banques à succursales• qui sont, encore aujourd'hui, parmi les plus importantes (le *Crédit Lyonnais,* la *Société Générale*) ont été fondées à la fin du Second Empire.

• *succursale :* qui dépend de la banque mère.

George Sand

Georges Sand. Portrait par Charpentier (Musée Carnavalet).

Aurore Dupin, baronne Dudevant (1804-1876), est plus connue sous son nom de plume de **George Sand.** Née dans une famille noble, elle rompt très tôt avec son milieu, avec les conventions mondaines et les préjugés sociaux, les idées toutes faites en quelque sorte. Elle se sépare de son mari et demande ouvertement, dans sa vie et dans ses écrits *(Indiana, Lelia),* **l'affranchissement des femmes,** c'est-à-dire plus de liberté, et le droit à la passion. Ses liaisons agitées avec Musset et avec Chopin font scandale.

De nature généreuse, dès 1836, sous l'influence d'hommes politiques comme Barbès ou Arago, elle **combat pour l'amélioration des rapports entre les classes sociales** et publie des récits d'inspiration humanitaire : *Les compagnons du Tour de France* (1840), *Consuelo* (1842-1843).

Après 1846, écologiste• avant la lettre, elle se retire sur sa terre de Nohant dans le Berry et fait paraître les romans champêtres comme *La Mare au Diable* (1846), *François le Champi* (1847-1848), *La Petite Fadette* (1849), qui font sa célébrité. Elle peint la nature et les mœurs berrichonnes sous des couleurs merveilleuses et approche un idéal de calme, d'innocence et de rêverie.

En 1854, elle écrit *Histoire de ma vie.* C'est dans le Berry que *la bonne dame de Nohant* finit ses jours, entourée de l'affection de ses proches.

• *écologiste :* personne qui s'occupe de l'équilibre de la nature, qui s'intéresse à la qualité de l'environnement (ce qui nous entoure).

Dans la mêlée des puissances : 1871-1945

● *Une histoire politique intérieure riche d'événements*

La guerre franco-allemande de 1870-71, terminée par le traité de Francfort, n'a affaibli ni la force démographique ni la force économique de la France : guerre courte — six mois —, elle n'a entraîné que des pertes matérielles limitées, même en tenant compte de l'indemnité de guerre — 5 milliards de francs-or — exigée par l'Allemagne. Plus grave est la mesure imposée par Bismarck victorieux à la France vaincue : **l'Alsace-Lorraine devient allemande.** Cette annexion est une terrible blessure pour la France. Moralement, politiquement, toute vraie réconciliation franco-allemande est rendue impossible.

Le premier soin du gouvernement, qui a reçu le lourd héritage de Napoléon III, a été de **reconstruire le pays.** Tâche difficile, car les Français ne sont pas tous d'accord en 1871 sur le régime qui doit remplacer l'Empire.

Majoritaires, mais divisés dans l'Assemblée nationale élue au lendemain de la défaite pour mettre fin à la guerre, les royalistes laissent échapper l'occasion de restaurer la monarchie.

Principal homme politique du moment, **Thiers** est, avant tout, attaché à protéger l'ordre social. Sa première tâche est d'**écraser le mouvement insurrectionnel de la Commune de Paris** (mars-mai 1871). Il s'agit d'un mouvement à la fois patriotique et favorable à l'établissement d'une république très démocratique, ouverte à de profondes réformes sociales : celles-ci risquaient de toucher aux bases du pouvoir politique de la bourgeoisie.

Royaliste de tendance, Thiers défend la république, pourvu qu'elle soit conservatrice : toute restauration monarchique lui apparaît impossible à cause de la division des royalistes et du peu d'habileté du prétendant à la couronne.

Les lois constitutionnelles de 1875 fondent la IIIe République : elles lui donnent un **régime parlementaire.** Le chef du gouvernement est choisi par le Président de la République, dans la majorité au **Parlement,** devant lequel il est responsable. Le Parlement comprend

Deuxième Année — Numéro 87 · Cinq Centimes · JEUDI 13 JANVIER 1898

Directeur
ERNEST VAUGHAN
ABONNEMENTS

L'AURORE

Littéraire, Artistique, Sociale

Directeur
ERNEST VAUGHAN
LES ANNONCES SONT REÇUES :
143 — Rue Montmartre — 143
AUX BUREAUX DU JOURNAL

POUR LA RÉDACTION :
S'adresser à M. A. BERTHIER
Secrétaire de la Rédaction

ADRESSER LETTRES ET MANDATS À
À M. J. BOUIT, Administrateur
Téléphone : 102-68

J'Accuse...!
LETTRE AU PRÉSIDENT DE LA RÉPUBLIQUE
Par ÉMILE ZOLA

J'accuse, 13 janvier 1898. Fac-similé de la première page de *l'Aurore,* le journal de Clemenceau. Dans un article célèbre, Émile Zola prend la défense du capitaine Dreyfus.

deux assemblées, la **Chambre des Députés** et le **Sénat,** élues au suffrage universel, mais par des voies différentes. C'est à elles qu'il appartient de désigner, pour sept ans, le président de la République, dont les pouvoirs ne tardent pas à devenir très limités.

Le système a pour principal défaut de favoriser l'émiettement des partis politiques, et de rendre ainsi **très fragiles** les **majorités parlementaires,** ce qui multiplie les crises gouvernementales.

Malgré cela, la France a été, dans l'ensemble, correctement gouvernée jusqu'en 1914.

Cela n'a pas été sans **difficultés** ni **crises.** Les conservateurs de tendance monarchiste sont restés socialement très forts : les organes principaux de la République ne sont conquis par les républicains que peu à peu, de 1876 à 1879. Pour asseoir plus fermement l'idée républicaine dans la masse de la population, la IIIe République a conçu et appliqué une **politique scolaire** dont l'artisan le plus connu est **Jules Ferry,** principal ministre de 1880 à 1885.

La droite conservatrice, devenue très nationaliste après 1855, met en péril le régime républicain au cours de **deux crises graves.** En 1886-1889, elle pousse en avant un général populaire, **Boulanger,** qu'elle présente comme le « général Revanche » contre l'Allemagne. Mais ce mouvement « boulangiste », mal organisé, tombe en 1889, l'année-même où est célébré le centième anniversaire de la Révolution.

Dix ans plus tard, l'**affaire Dreyfus** (1894-1899) unit de nouveau les ennemis de la République. Officier aux brillants états de service, Dreyfus est accusé en 1894 de trahison au profit de l'Allemagne. Sur

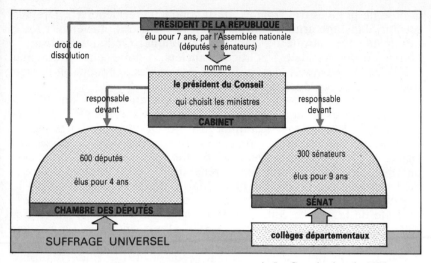

▲ La Constitution de 1875

Édouard Vaillant au « Mur des Fédérés » en 1908. Ce mur est resté le symbole de la résistance de Paris contre les armées du gouvernement dirigé par Thiers, alors replié à Versailles (après la défaite de 1870 et la chute du Second Empire). Dans la France en crise et occupée éclata, à Paris, de mars à mai 1871, une véritable guerre civile appelée *Commune.* Les *Communards,* ou *Fédérés,* furent écrasés après de terribles combats par les soldats de Mac-Mahon. Vaillant était un des survivants des chefs communards, et après 1880, le pèlerinage au mur devant lequel furent fusillés les derniers combattants de la Commune en mai 1871 est devenu une tradition des mouvements révolutionnaires.

la base de preuves très fragiles, il est condamné et déporté•. Dreyfus est juif, dans une armée française dont le corps des officiers est resté très fortement marqué de tradition catholique. Or l'antisémitisme•, nourri par des scandales• politico-financiers, comme celui de Panama (1889-1893), auxquels des juifs ont été mêlés, connaît alors une nouvelle force en France.

Très vite, la passion coupe la France politique en deux : d'un côté les **anti-dreyfusards** groupés dans la « Ligue des Patriotes » qui n'acceptent pas les preuves de l'innocence de Dreyfus produites par sa famille ; de l'autre, ceux qui se sont rassemblés dans la **Ligue des Droits de l'homme** (qui se fonde alors et existe toujours). Finalement, en 1899, Dreyfus est entièrement réhabilité• : on le déclare innocent et il retrouve ses droits, en 1906. Mais l'**affaire** a mis en danger la République. Pour la sauver, les partis de la gauche se sont groupés. La lutte de la gauche contre la droite avait paru s'apaiser de 1885 à 1899. Elle reprend aux élections de 1899 et aux suivantes. La gauche, renforcée des partis de tendance radicale et même des partis socialistes, l'emporte régulièrement jusqu'en 1914. Elle en profite pour pratiquer une **politique anticléricale** (contre l'Église) vigoureuse : en 1905, la **Loi de séparation de l'Église et de l'État** met fin au régime privilégié dont bénéficiait l'Église catholique depuis le Concordat de 1801.

• *De grandes transformations économiques et sociales*

A la fin du XIXe siècle, les États européens riches en **charbon,** comme l'Angleterre, l'Allemagne et, un peu plus tard, la Russie, développent leur **économie** plus rapidement que la France, qui manque de ce combustible, alors considéré comme le « pain de l'industrie », plus encore que ne l'est le pétrole de nos jours.

Mais **la France reste dans le groupe de tête des grandes puissances économiques.** Dans certains domaines d'avant-garde, comme les produits radioactifs, la radio, l'électricité, l'électro-métallurgie, l'automobile, l'aviation, elle joue même le rôle de pionnier. Ralentie lors

---

• *déporter :* envoyer en *déportation,* c'est-à-dire loin de son pays, parfois dans une sorte de prison.
• *antisémitisme :* doctrine et attitude de ceux qui sont hostiles aux juifs.
• *scandale :* action qui provoque l'indignation.
• *réhabilité :* déclaré innocent et rétabli dans ses fonctions.

de la « grande dépression mondiale » de 1873 à 1896, sa croissance reprend avec force au début du xxe siècle. Elle est alors plus rapide même que celles de ses voisins, dont elle entreprend de rattraper l'avance.

Les Français se sont aussi préoccupés d'améliorer l'**équipement du pays** ; le réseau ferré a presque triplé en longueur de 1871 à 1914, allant même au-delà des besoins économiques du moment : la plus grande partie des lignes d'intérêt local créées alors n'est pas rentable ; des aides, très coûteuses pour le budget, leur sont données. Le point fort de la France est sa **puissance financière.** Dans ce domaine, elle se place immédiatement après l'Angleterre, devant l'Allemagne et même, longtemps, devant les États-Unis. L'épargne• française, placée en grande partie à l'étranger, notamment en Russie (les emprunts russes) et en Europe balkanique, augmente de 3 à 4 milliards de francs-or chaque année. Cette exportation de capitaux• est bien vue des rentiers (ceux qui vivent de leurs rentes, c'est-à-dire des revenus de leur argent). Mais personne à l'époque ne se rend compte des dangers de cette situation : l'argent exporté manque pour le développement national. Qu'arriverait-il à ces investissements lointains en cas de révolution dans les pays où ils ont été faits ?

La société se transforme : moins par le nombre, car la faible natalité ne permet plus à la population de croître dans les villes, que par l'**exode**• rural : les campagnes envoient le trop-plein de leur population vers les villes ; mais ce mouvement est beaucoup plus lent que dans le reste de l'Europe industrielle : en 1914 encore, plus de la moitié des Français sont des ruraux, et seules, Paris, Lyon et Marseille sont des « villes millionnaires » (proches de 1 million d'habitants ou plus).

Les **lois sociales** appliquées en France ne sont pas parmi les plus avancées d'Europe, alors que l'Allemagne depuis Bismarck (dès 1885) et l'Angleterre de Lloyd George (depuis 1906) se montrent beaucoup plus généreuses. Le débat politique a occcupé toutes les forces des partis qui, faute de temps ou de volonté, ont laissé de côté cet aspect essentiel.

- *épargne* : ici : l'argent que des gens ont économisé, mis de côté.
- *capitaux* : des sommes d'argent qu'on cherche en général à investir, à placer.
- *exode* : départ en foule.

• L'expansion coloniale

La IIIe République a créé **le plus grand empire colonial que la France ait jamais eu** (voir carte page 86). Le coup d'envoi décisif dans ce domaine a été fourni par Jules Ferry entre 1881 et 1895. Par l'étendue et la population de son empire, en 1914, seul le Royaume-Uni fait alors mieux.

Après dix ans de calme, qui suivent la défaite de 1871, des Français, bientôt appuyés par leur gouvernement, ont exploré de vastes régions jusque-là peu ou pas connues, en Afrique surtout, mais aussi en Asie du Sud-Est.

Au début du xxe siècle, le **domaine colonial** français couvre une superficie **seize fois plus étendue que la métropole** (la France) et une fois et demie plus peuplée : toute l'Afrique du Nord : **l'Algérie,** colonie depuis 1830 ; **la Tunisie et le Maroc** protectorats depuis 1881 et 1912 ; **l'essentiel du Sahara** et de larges **parties de l'Afrique occidentale et équatoriale,** la côte des **Somalies** au débouché de la mer Rouge ; **Madagascar ; la Réunion ;** mais aussi l'**Indochine,** de nombreuses **îles dans le Pacifique,** les **Antilles,** la **Guyane.**

De cet empire, la France ne tire encore qu'un bénéfice modeste, mais excite la jalousie d'États territorialement moins bien pourvus, comme l'Allemagne.

• Dans le concert des grandes puissances

La France est **parmi les « grands » de l'époque.** Sa principale préoccupation a été, dès le lendemain de sa défaite de 1871, de trouver le moyen d'équilibrer la force de sa grande voisine et ennemie l'Allemagne.

Pendant vingt ans, Bismarck est parvenu à **isoler la France :** jusqu'à son renvoi, en 1890, par l'empereur Guillaume II, nouvellement monté sur le trône d'Allemagne, Bismarck entretient d'excellentes relations avec tous les grands États, ce qui empêche la France d'avoir aucun allié. Si, pense-t-il justement, elle commet la folie de tenter de prendre sa revanche, elle ne pourra qu'être battue.

Mais ce « système bismarckien » disparaît avec le renvoi de son auteur. De 1890 à 1914, Guillaume II maintient bien le système d'alliance hérité de Bismarck : la **Triple Alliance** de l'Autriche, de l'Allemagne et de l'Italie. Il ne peut empêcher la France de s'allier d'abord avec la

LA MISSION MARCHAND

A Travers l'Afrique ✳ De l'Atlantique a la Mer Rouge

SÉRIE INSTRUCTIVE RECOMMANDÉE POUR LES ÉCOLES

Appartenant à

Cahier d

N° 6

TRAVERSÉE DE L'ABYSSINIE PAR LA MISSION MARCHAND

Le Dedjaz Thessama, envoyé au-devant des Français par le Négus Ménélik,
offre un cheval tout harnaché et un bouclier en or au Commandant Marchand.

Cette *couverture de cahier d'écolier* montre bien la fierté que l'on tirait, à la fin du XIXe s., des expéditions coloniales.

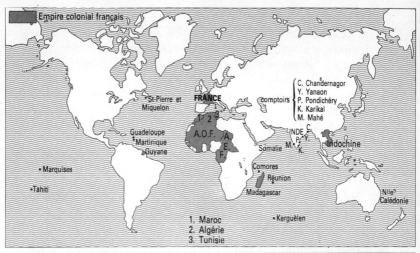

Empire colonial français

C. Chandernagor
Y. Yanaon
P. Pondichéry
K. Karikal
M. Mahé

comptoirs

St-Pierre et Miquelon

FRANCE

1 2 3

A.O.F.

A
E
F

Somalie

INDE

Indochine

Guadeloupe
Martinique
Guyane

Comores

Réunion

Madagascar

Marquises

Tahiti

Kerguélen

Nlle Calédonie

1. Maroc
2. Algérie
3. Tunisie

Moscou

SUÈDE

DANEMARK

EMPIRE

RUSSE

ROYAUME-UNI

Berlin

Londres

PAYS-BAS

EMPIRE

BELGIQUE

ALLEMAND

AUTRICHE-

Paris

Vienne

FRANCE

SUISSE

HONGRIE

ROUMANIE

SERBIE

BULGARIE

ITALIE

ALBANIE

Istanbul

Rome

ESPAGNE

GRÈCE

PORTUGAL

Triple Entente (soudée 1907)
Triple Alliance (formée 1883)

Russie (1893), puis en 1904 de se rapprocher de l'Angleterre, inquiète des ambitions navales de l'Allemagne. Cette **Triple Entente** équilibre la **Triple Alliance.** France et Allemagne s'affrontent de plus en plus durement entre 1905 et 1914, mais sans vraiment mettre en danger la paix... jusqu'à l'assassinat, à Sarajevo, le 28 juin 1914, de l'archiduc François-Ferdinand de Habsbourg, héritier du trône d'Autriche-Hongrie. Cet attentat est la cause immédiate de la première Guerre mondiale.

● *Une gloire chèrement acquise (1914-1918)*

Déclarée par l'Allemagne à la France, le 3 août 1914, **la guerre** que chacun croit, alors, devoir être courte, **durera plus de quatre ans.** D'abord bousculée par l'offensive allemande qui l'a surprise en passant par la Belgique neutre●, l'armée française, commandée par Joffre, se ressaisit. Elle repousse les Allemands par la **victoire de la Marne** (septembre 1914). Puis la guerre s'enlise● dans les tranchées, pendant quatre ans, marquée par d'affreuses tueries, en particulier à **Verdun** (1916). Les États-Unis finissent par entrer dans la guerre, au moment où la révolution oblige la Russie à en sortir (1917).

L'année 1918, c'est la décision : les dernières attaques allemandes ne sont pas loin d'arracher la victoire. Les Français et leurs alliés anglais, belges, américains, italiens..., sous le commandement unifié de Foch, à partir de mars 1918, arrêtent les Allemands puis les battent, ainsi que leurs alliés.

Le 11 novembre 1918, l'armistice● met fin aux combats. Ils ont coûté la vie à 10 millions d'hommes, dont 1 400 000 Français.

La paix de Versailles (28 juin 1919) rend l'Alsace-Lorraine à la France, réduit les capacités militaires allemandes et oblige l'Allemagne à payer des réparations pour les destructions qu'elle a causées. **La carte de l'Europe est transformée** par les autres traités de paix de 1919-1923. **La France devient la première puissance politique et militaire du continent européen.** Pour combien de temps ? Et à quel prix !

● *neutre :* la Belgique n'était ni pour l'Allemagne, ni pour la France.
● *s'enliser :* s'enfoncer dans la boue. Ici, l'image est à prendre au sens propre : les soldats s'enfonçaient dans la boue des tranchées ; et au sens figuré : la guerre dure, sans pencher ni pour l'un ni pour l'autre.
● *armistice :* interruption des combats.

• Des illusions de la paix aux désastres de la Deuxième Guerre mondiale (1919-1945)

Revenir à la vie normale de l'avant-guerre est le grand désir des Français et des Européens après 1919. Cela explique les espoirs immenses d'une paix que beaucoup croient désormais assurée par l'institution nouvelle de la **Société des Nations** (S.D.N.), créée sur l'idée du président des États-Unis, Wilson. Mais la S.D.N. n'atteint pas les buts qu'elle s'était donnés : son fonctionnement ne donne satisfaction que de 1924 à 1930. La réconciliation franco-allemande, recherchée par le Français Briand et l'Allemand Stresemann, chargés des Affaires étrangères dans leurs pays respectifs, paraît même s'établir entre 1926 et 1930.

Mais la **crise économique** montre la fragilité de toutes ces espérances. La France compte sur les réparations promises par l'Allemagne pour payer la reconstruction de son économie appauvrie par la guerre et les dettes qu'elle a dû faire entre 1914 et 1918 envers les États-Unis. Sa monnaie s'est affaiblie : en 1926, elle ne vaut plus que le cinquième de ce qu'elle valait en 1914 et, comme le pays a craint une chute encore plus terrible, il fait de Poincaré, qui a réussi à stabiliser la monnaie en 1926-1928, le sauveur du franc. **La prospérité revenue**, après la reconstruction, encourage la **croissance économique**, très forte durant ce qu'on a appelé les « années folles » (1925-1930).

Le **Krach de Wall Street** (24 octobre 1929) plonge les États-Unis dans la crise et, presque immédiatement après, l'Europe. En France, commence une période d'instabilité politique. On notera toutefois qu'à partir de 1928, des lois sociales seront votées (assurances sociales obligatoires le 5 avril 1928, gratuité de l'enseignement secondaire le 16 avril). En 1936, après des élections agitées, le **Front Populaire** triomphera. Léon Blum (1872-1950) forme le premier gouvernement socialiste qu'ait eu la France. La semaine de travail sera fixée à quarante heures. Mais Léon Blum démissionnera, le 21 juin 1937.

En Allemagne, le régime républicain tombe. Chef du parti nazi, **Hitler arrive au pouvoir** (30 janvier 1933). Le parti nazi a fait de la remilitarisation de l'Allemagne et de la revanche sur la France les thèmes essentiels de sa propagande•. La terrible dictature d'Hitler donne en cinq ans à l'Allemagne la force de déchirer l'un après l'autre

---

• *propagande :* toute action organisée pour répandre une opinion, une religion, des idées.

DEUXIÈME ÉDITION

l'Humanité

ORGANE CENTRAL DU PARTI COMMUNISTE (S.F.I.O.)

Le peuple de France a voté pour le pain, la paix, la liberté !

RÉDACTION ET ADMINISTRATION
138, RUE MONTMARTRE, PARIS (2ᵉ)
LE NUMÉRO : 50 CENTIMES

33ᵉ ANNÉE — Nᵒ 13.653

LUNDI 4 MAI 1936
DEUX ÉDITIONS

Fondateur : JEAN JAURÈS
Directeur : MARCEL CACHIN
SÉNATEUR DE LA SEINE

VICTOIRE !

Le Front Populaire triomphe !

les engagements qu'elle avait pris. Hitler écrase tous ses ennemis intérieurs ; il commence à réarmer dès 1935.

La France hésite, vis-à-vis de lui, entre deux attitudes : la dureté ou l'ouverture ! L'Angleterre ne lui apporte son appui que très tardivement. En 1938-1939, **Hitler met la main sur la Tchécoslovaquie** que la France, son alliée, avait pourtant promis de défendre. La France et l'Angleterre n'arrivent pas à conclure avec l'U.R.S.S. une alliance qui, seule, aurait pu arrêter l'ambition de Hitler. Celui-ci, à la surprise de tous, signe avec Staline le **pacte germano-soviétique** (23 août 1939). Or, entre les deux États, Allemagne et U.R.S.S., se trouve la Pologne, dont Hitler ne cache pas qu'il veut annexer la moitié occidentale. Le 1ᵉʳ septembre 1939, **l'armée allemande attaque les Polonais ;** aussitôt la France et l'Angleterre, qui ont donné leur garantie à la Pologne, déclarent la guerre à l'Allemagne. La **Deuxième Guerre mondiale** commence en Europe. Elle est cruelle pour la France. Beaucoup mieux organisées que celle de la France, les forces blindées et aériennes allemandes, après avoir triomphé en Pologne, au Danemark et en Norvège, **détruisent l'armée française en six semaines,** en mai-juin 1940. L'Italie de Mussolini déclare la guerre à son tour, le 10 juin 1940, à la France et à l'Angleterre.

La IIIᵉ République ne survit pas à ce malheur. Glorieux soldat de la Première Guerre mondiale, le maréchal **Pétain** devient le chef contesté d'un État très réduit, avec Vichy pour capitale. Les deux tiers du territoire national sont occupés par l'Allemagne, mais non l'Empire colonial. Quelques Français décident de résister à l'ennemi, encouragés par **l'appel du 18 juin 1940** lancé par radio depuis Londres par le général De Gaulle.

La guerre se prolonge. L'Allemagne est tenue en échec dans la **bataille d'Angleterre** pendant l'été 1940 ; puis, après avoir mis la main sur tous les Balkans, elle s'enlise en Russie à partir de juin 1941. Ses premières victoires sont suivies de graves défaites : à Stalingrad et en Afrique du Nord en 1942-1943. Deux débarquements alliés sur les côtes françaises en juin puis août 1944 libèrent le pays : l'armée française y a participé aux côtés des armées anglo-américaines, qui ont bénéficié, aussi, des nombreux renseignements sur l'ennemi fournis par les réseaux de **résistance intérieure** et les maquis.

En mai 1945, c'est la **victoire sur l'Allemagne nazie** ; en septembre, la victoire des Américains **sur le Japon,** allié de l'Allemagne, après la destruction d'Hiroshima par la première bombe atomique (6 août 1945).

La France est donc dans le **camp des vainqueurs.** Mais son **économie** est encore plus **durement touchée** qu'en 1918 par les terribles destructions qu'ont causées les bombardements alliés avant la Libération, par les sabotages de la Résistance pendant l'occupation allemande et par les combats de la Libération.

La vitalité française, terriblement frappée par deux fois en un quart de siècle de distance (1 400 000 morts et autant de blessés et mutilés en 1914-1918, presque la moitié de ce chiffre en 1939-1945), paraît peu capable d'effacer, avant longtemps, les traces de pareils malheurs.

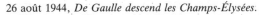

26 août 1944, *De Gaulle descend les Champs-Élysées.*

La France d'aujourd'hui

● *Deux républiques successives et différentes :*
La IVe République

Quand s'achève la guerre, à peu près personne en France ne voudrait revenir aux institutions politiques de l'avant-guerre, jugées responsables de la défaite de 1940.

Mais l'accord ne se fait pas sur la meilleure manière de les remplacer. En raison de leur rôle dans la Résistance pendant l'occupation ennemie, **les partis de gauche** sont, alors, **très influents,** en particulier les communistes, qui rassemblent près de trente pour cent des votes. En face d'eux, le chef du gouvernement provisoire de la République française, **le général De Gaulle,** dont le **prestige** est **immense** pour avoir le premier appelé à la Résistance et su diriger celle-ci jusqu'à la victoire. Or De Gaulle est partisan d'un **régime à pouvoir exécutif fort,** dont ne veulent pas les partis de Gauche. Plutôt que de céder sur ce point, De Gaulle démissionne● (début 1946). Consulté par **référendum,** le pays finit par choisir une constitution qui ressemble beaucoup à celle de la IIIe République, pourtant condamnée.

La IVe République souffre dès le départ de trois graves défauts : d'abord **l'instabilité des gouvernements** devant deux oppositions fort différentes, celle des communistes et celle des gaullistes. Ajoutées, elles rassemblent près de la moitié des voix. Gouverner avec le reste est fort difficile. Même les gouvernements les plus populaires, ceux dirigés par Pinay en 1952, et Mendès France, l'année suivante, ont eu une existence très courte : moins de dix mois !

Ensuite, la IVe République a eu beaucoup de **peine à équilibrer son budget.** Affaibli par la guerre et les dépenses de la reconstruction, le franc n'est à peu près stabilisé qu'en 1952, mais après être tombé au centième de sa valeur de 1914 et avoir perdu les quatre cinquièmes de celle qui lui restait à la veille de la Seconde Guerre mondiale. Cette

● *démissionner* : quitter un emploi ou un poste de sa propre volonté.

fragilité financière augmente la dépendance de la France vis-à-vis des États-Unis, ses principaux prêteurs.

En troisième lieu, la France ne parvient pas à établir avec ses colonies des liens nouveaux, dans le **cadre de la décolonisation.** Pacifique et sans trop de problèmes pour toute l'Afrique Noire, le Maroc et la Tunisie, la décolonisation se passe très mal en **Indochine** et en **Algérie.** En Indochine, la guerre commence en 1946 et ne s'achève qu'en 1954, après que l'armée française ait subi une cruelle défaite à Dien Bien Phu. Les Français quittent l'Indochine. Mais ce pays sera bientôt le théâtre d'une nouvelle guerre liée à une intervention américaine (1966-1972) qui, elle aussi, s'achève par une victoire des **nationalistes vietnamiens.**

En Algérie, le problème est particulièrement délicat. La France estime ne pas pouvoir abandonner un pays qui, administrativement, est formé de trois départements analogues à ceux de la métropole et où un dixième de la population environ est français : un million d'habitants sur dix. Le soulèvement nationaliste commence en novembre 1954 et s'étend progressivement à toute l'Algérie. Les gouvernements de la IVᵉ République finissent par employer un moyen qu'ils avaient refusé d'utiliser en Indochine : **l'envoi du contingent,** c'est-à-dire des jeunes Français appelés à accomplir leur service militaire, peu à peu allongé jusqu'à dépasser deux ans.

Financièrement et humainement coûteuse, cette guerre est, politiquement, une **cause de division.** Un nombre grandissant de Français essaie d'amener le gouvernement à faire la paix avec les nationalistes algériens. Mais une autre partie de l'opinion, qui croit toujours en la réussite d'une politique de force, trouve des appuis parmi les officiers de l'armée.

En 1958, une sorte de **coup d'État** militaire, à Alger, provoque la chute de la IVᵉ République. Pour trouver une solution à la crise, le dernier président de la IVᵉ République fait appel à De Gaulle. La guerre d'Algérie ne se terminera qu'au mois de juillet 1962, avec la proclamation de l'**indépendance** de ce pays.

● *La Vᵉ République*

De Gaulle n'a accepté de devenir le chef du dernier gouvernement de la IVᵉ République que pour créer un régime nouveau, en accord avec les idées qu'il n'a cessé de défendre depuis qu'il a démissionné en 1946.

Une nouvelle constitution, approuvée massivement par le pays, consulté par référendum, crée un **exécutif très fort,** et donne un simple rôle de contrôle au Parlement. La grande chance du nouveau régime est d'avoir disposé, depuis sa naissance, d'une **majorité stable** au Parlement. Contrairement à la Quatrième République et à son grand nombre de ministères et de présidents du Conseil successifs, la Ve République n'a eu que peu de Premiers Ministres. L'un deux, **Georges Pompidou,** a d'ailleurs succédé à De Gaulle quand celui-ci, mis en minorité dans un référendum, a démissionné (1969). Pompidou, mort en 1974, a eu pour successeur un de ses ministres, qui avait été aussi ministre sous De Gaulle, **Valéry Giscard d'Estaing. Continuité** remarquable par conséquent, qui marque une grande différence avec l'instabilité du régime précédent. Cette continuité est interrompue en 1981 par l'élection à la Présidence de la République du socialiste **François Mitterrand.**

• *Une nouvelle vitalité*

La France de 1939 a l'allure d'un pays ridé•, vieilli : sa population stagne, et même, chaque année, le nombre de morts l'emporte sur celui des naissances. Seules les naturalisations•, généreusement accordées aux étrangers venus s'établir sur le sol français, cachent le problème démographique, mais n'empêchent pas l'âge moyen de la population d'augmenter d'une manière inquiétante.

L'économie apparaît aussi **très vieillie.** Malgré la préparation à la guerre, qui aurait dû l'encourager, comme c'est le cas partout ailleurs, la production se place toujours très au-dessous des chiffres records• de 1929. Deux maladies principales ont, semble-t-il, frappé la vitalité française : les tueries de 1914-1918 et la crise économique des années 30.

Mais la France a surpris le monde par la rapidité exceptionnelle de son relèvement après la Deuxième Guerre mondiale.

Relèvement démographique d'abord : le nombre des naissances a beaucoup augmenté, alors que les progrès de la médecine font

---

• *ridé :* les rides sont des plis qui se forment, surtout sur le visage et les mains, après un certain âge.

• *naturalisation :* le fait pour un étranger de prendre la nationalité du pays où il vit depuis quelques années.

• *record :* résultat exceptionnel dépassant tout ce qui a été fait jusque-là ; exemple : un record de production.

diminuer la mortalité. De 42 millions à la veille de la Deuxième Guerre mondiale, la population est passée à 53 millions aujourd'hui. Sans doute la natalité a-t-elle commencé à baisser depuis 1965, mais ce tassement s'est produit moins tôt et de façon moins forte que dans les États voisins comparables, l'Allemagne occidentale par exemple.

Le **relèvement économique** n'est pas moins remarquable. Depuis la fin de la Deuxième Guerre mondiale, les richesses produites ont augmenté de 4 à 5 pour cent chaque année. La part que tient la France dans la production mondiale la place dans le groupe de tête des grandes puissances : elle n'est dépassée que par les États-Unis, l'U.R.S.S., le Japon, beaucoup plus peuplés qu'elle, et par la R.F.A. aux traditions industrielles solides et anciennes. Par son **commerce extérieur,** elle dispute le 3e rang mondial au Japon, et n'est dépassée en permanence que par la R.F.A et les États-Unis. Dans de nombreux domaines comme le pétrole, l'aéronautique et l'espace, la construction, l'automobile, les télécommunications, l'énergie nucléaire, les solutions qu'elle propose et applique sont suivies partout et soutiennent la comparaison avec celles d'États beaucoup plus importants par l'étendue et la population.

• *Les raisons de ces succès*

Une pareille réussite est le résultat d'un effort continu.
Dès 1939, un **Code de la Famille** a favorisé les naissances et permis d'effacer plus rapidement qu'après 1918 les conséquences désastreuses de la Seconde Guerre mondiale. A partir de 1945, et pendant vingt ans, la France augmente, en moyenne, de 500 000 habitants par an.

La création de la **Sécurité sociale,** en 1945, a aidé toutes les activités liées à la santé. Chaque travailleur reçoit désormais, en échange de cotisations retenues sur son salaire, des versements sociaux : allocations de maladie, de chômage..., etc.

Pour l'économie, l'aide fournie par les États-Unis à la France comme aux autres États d'Europe au titre du **Plan Marshall** (1949-1952) a beaucoup compté pour remettre en marche les moyens de transports et de production, et lancer des investissements nouveaux.

Mais trois autres raisons ont joué un rôle décisif dans la réussite de la reconstruction.

D'abord, après 1945, d'importantes réformes dont le principe avait été décidé par le Conseil national de la Résistance, pendant la guerre, ont donné à **l'État un rôle de plus en plus grand** dans les choix fondamentaux de l'économie.

Des secteurs entiers sont aujourd'hui sous le **contrôle** total ou partiel de l'État : les chemins de fer, les grandes banques, les principales compagnies d'assurance, l'énergie ; mais aussi de larges parties des industries aéronautiques, de la chimie, de la sidérurgie, de la construction et des travaux publics... Sans doute pareille mainmise[•] n'a-t-elle pas que des avantages : l'État est encouragé à prélever des impôts et taxes de plus en plus lourds et, surtout, il peut se tromper, comme il l'a bien des fois démontré. Par contre, pour beaucoup, le secteur étatisé est à l'image des rênes que tient le cavalier pour guider son cheval : quand l'économie ralentit, il la fait avancer plus vite, quand les prix montent trop vite, il freine. Ensuite, une fois achevés, en 1952, les travaux urgents de la reconstruction, l'État a aussi recours à une **planification indicative :** inspirée du modèle soviétique, elle en diffère parce qu'elle est beaucoup moins contraignante.

Ainsi l'État définit un programme économique, **un plan,** pour cinq ans ou plus. Des changements sont parfois introduits dans la planification, quand l'économie le demande.

A titre d'exemple, c'est aux initiatives prises par l'État que sont dus quelques-uns des investissements fondamentaux depuis 1945 : grandes centrales hydroélectriques, puis thermiques, et aujourd'hui nucléaires ; sidérurgies situées près des côtes ; grands canaux ; concentration de 85 % du trafic ferroviaire sur les voies électrifiées ; création de sociétés, avec participation de l'État, pour le développement des voies de communication ou de régions à équiper en vue du tourisme — dans les Landes ou en Languedoc-Roussillon — et à réaménager pour la production agricole, etc.

Enfin, le principal facteur du succès est certainement la **politique européenne.** L'initiative en est due au Français Robert Schuman, en 1950 ; elle a conduit à la création d'une **Communauté Européenne Charbon Acier** (C.E.C.A.), dès 1952, puis d'un **Euratom** et d'une **Communauté Économique Européenne** (C.E.E.) ou **Marché Commun** en 1957. Malgré des difficultés inévitables, ces différentes institutions sont peu à peu entrées en application et ont même élargi leur

---

• *mainmise :* action de mettre la main sur, de s'emparer de...

domaine en 1972, quand le Royaume-Uni, l'Irlande et le Danemark ont rejoint les six membres fondateurs (France, Allemagne de l'Ouest, Italie, Belgique, Pays-Bas, Luxembourg) faisant passer la C.E.E. de six à neuf. En 1980, la Grèce est devenue le dixième pays membre de la C.E.E.

Par cette **politique européenne,** la France a dû réapprendre à commercer, avec les très brillants résultats signalés plus haut.

Elle a, aussi, dû faire face à des problèmes nouveaux pour elle, comme celui de la **compétition** pour la conquête et la conservation de marchés à l'étranger, ou de la mise en œuvre d'une politique économique mise au point en accord avec tous ses partenaires. Seule la politique agricole commune (P.A.C.) a pu être en partie appliquée. Son but est de faciliter les échanges entre États de la Communauté. Les producteurs sont protégés de la trop vive concurrence des États extérieurs à la Communauté par un **Tarif extérieur commun,** d'ailleurs peu élevé.

Les problèmes de la France d'aujourd'hui

Depuis le début des difficultés économiques nées en 1973 et qui ont frappé le monde entier, la France est confrontée à des **problèmes nouveaux** et préoccupants, que la crise a contribué à mettre à jour.

D'abord, on assiste à un **ralentissement de l'expansion,** qui avait été si rapide pendant les trente années qui ont suivi 1945 qu'un ouvrage à succès les a appelées les **Trente glorieuses.** Comme partout en Europe et dans le monde industrialisé, **le chômage** est apparu ; en 1980, il y a plus de 1 500 000 chômeurs en France et le chiffre continue à augmenter : plus de 7 % de la population active est sans activité. Ensuite, la concurrence internationale, favorisée par l'**ouverture des frontières** entre les **Neuf États de la C.E.E.,** a été fortement stimulée par la crise elle-même. Chaque pays cherche à vendre davantage chez les autres : les activités les plus fragiles subissent les premières les effets de cette concurrence sauvage et féroce : la sidérurgie, le textile et même l'automobile.

Au même moment, **les dépenses de l'État augmentent :** secours à verser aux chômeurs par exemple, alors que l'argent rentre moins bien dans ces mêmes caisses ; le ralentissement des affaires rend moins importantes les sommes encaissées par l'État, les cotisations de la Sécurité Sociale, payées par les personnes actives seulement, sont moins importantes... L'État a donc tendance à **augmenter les impôts.** En quatrième lieu, la **hausse des prix, liée à l'inflation,** reste à un niveau inquiétant. Le grand responsable, dénoncé un peu trop facilement par le gouvernement, est, bien sûr, **le pétrole.** Son prix a été multiplié par plus de six entre 1973 et 1981, ce qui déséquilibre dangereusement la balance commerciale d'un État à peu près dépourvu de toute ressource pétrolière sur son sol. C'est le cas de la France, moins heureuse que ne le sont le Royaume-Uni, la Norvège, les Pays-Bas, où les hydrocarbures de la mer du Nord sont une aide précieuse pour résoudre le problème de l'énergie.

Ne disposant pas de ces richesses, et cherchant à réduire sa dépendance, la France veut, pour diminuer à l'avenir ses importations

Une *manifestation écologiste* à Paris, le 1ᵉʳ mai 1977.

d'énergie, lancer un très ambitieux programme de **centrales électronu-cléaires** qui doivent procurer à la France plus de la moitié de l'électricité qu'elle consommera vers 1990. Leur coût est très élevé ; et surtout, le fonctionnement de pareilles installations n'apparaît pas toujours sûr à beaucoup de Français. De là, entre autres, le succès relatif remporté par les différents **mouvements écologiques,** favorables à un type de croissance nouveau, qui condamne ce qu'ils appellent l'**économie de gaspillage** d'aujourd'hui et ferait place aux économies d'énergie et à la fabrication de produits faits pour durer.

En cinquième lieu, la **dénatalité,** qui frappe aujourd'hui tout le monde industrialisé, a commencé à se manifester en France plus tard que chez son principal voisin et partenaire, la R.F.A. Mais le nombre de naissances a commencé à baisser en 1964, et depuis le début des années 70, le nombre des berceaux est dépassé chaque année par celui des cercueils. Cette « peste blanche », encore peu sensible, menace, pour l'avenir, la vitalité nationale, comme celle de toute l'Europe.

De Gaulle

Charles De Gaulle est né le 22 novembre 1890 à Lille. Après des études classiques, il entre à l'école d'officiers de Saint-Cyr en 1909 et en sort en 1912. Il fait la Première Guerre mondiale et y est blessé. Dès cette époque, il pense que la guerre « en gants blancs » est dépassée et qu'il est nécessaire de se battre à l'aide de techniques nouvelles : mitrailleuses, artillerie lourde, chars, avions. Entre 1920 et 1935, il écrit plusieurs ouvrages sur ce sujet.

1939 : la Seconde Guerre mondiale éclate : en 1940, l'armée française est battue. De Gaulle refuse l'armistice demandé par le maréchal Pétain le 17 juin 1940 à l'Allemagne. Il le qualifie de honteux. Le 18 juin, il s'envole pour Londres et lance à la B.B.C. son fameux **appel** à la résistance que peu de gens entendent à l'époque.

A Londres, De Gaulle organise la résistance et crée les **Forces Françaises Libres (F.F.L.).**

En France, différents mouvements de **résistance** se créent aussi, mais ce n'est qu'en 1943 que tous se réuniront pour créer le Conseil National de la Résistance dont le chef est De Gaulle. En 1944, il s'installe, comme chef du gouvernement provisoire, à Alger, que les Alliés ont occupé après avoir débarqué en Afrique du Nord en novembre 1942. Le 6 juin

1944, les alliés débarquent en France. Le 25 août 1944, Leclerc commandant la deuxième division blindée, l'unité la plus célèbre des F.F.L., arrive à Paris où, le 19, une insurrection populaire a éclaté contre l'occupant. De Gaulle arrive dans Paris libéré. Le lendemain, il se fait acclamer sur les Champs-Élysées. Le 8 mai 1945, **l'armistice est signé.**

La France est en ruines : presque détruite. De Gaulle, chef du gouvernement provisoire, commence, entre 1944 et 1946, une série de réformes (nationalisations et Sécurité sociale). Élu à l'unanimité chef de gouvernement en octobre 1945, il démissionnera trois mois plus tard car il refuse le retour au « régime des partis ».

Il crée en 1947 un mouvement politique, le Rassemblement du Peuple français (R.P.F.), mais sans grand succès ; jusqu'en 1958, il vit retiré dans son village, Colombey-les-Deux-Églises, où il écrit ses *Mémoires de guerre.*

C'est la **guerre d'Algérie** et l'insurrection du 13 mai 1958 des colons français à Alger qui provoque son retour : le Président de la République René Coty fait appel à De Gaulle qui forme un gouvernement. En septembre 1958, après des élections, une nouvelle Constitution est votée et De Gaulle est élu à la fin de l'année 1958, président de la République pour

7 ans. De 1958 à 1962, il poursuit une œuvre de décolonisation : petit à petit et sans grands problèmes en Afrique Noire, avec beaucoup de difficultés en Algérie où la guerre ne se termine que le 18 mars 1962.

Charles De Gaulle redonne à la France une place qu'elle avait perdue. Son prestige personnel est grand à l'étranger et en France ; pourtant une opposition continue se manifeste contre lui ; elle atteint son sommet en mai 1968.

De Gaulle, un peu perdu au début, rétablit en apparence la situation après les élections de juin 1968. Mais ce succès est fragile, à l'image de la peur de la « majorité silencieuse ».

De Gaulle se retire à Colombey-les-Deux-Églises après l'échec, le 27 avril 1969, d'un référendum qu'il avait proposé.

Il meurt à Colombey, le 9 novembre 1970.

Aujourd'hui

C'est sans doute dans le domaine de la science et de la technique que se manifestent le mieux les immenses transformations du monde au cours du XXe siècle. L'essor prodigieux des connaissances lié à leur diffusion quasi immédiate fait qu'il est difficile — et hasardeux — de donner à la France la part exacte qui lui revient.

S'il est un domaine où les progrès français sont les plus spectaculaires et visibles, c'est sans doute celui des transports.

Les *avions* nous permettent d'apprécier ces progrès.

Le 25 juillet 1902, Blériot (1872-1936) traversait la Manche de Calais à Douvres en 31 minutes, soit à la vitesse d'environ 60 km à l'heure. Depuis 1950, l'avion à réaction a révolutionné les transports aériens. Nos avions actuels, tel l'*Airbus,* transportent 300 passagers à la vitesse de 900 km/heure jusqu'à 4 000 km de distance. Les avions supersoniques comme *Concorde* ou les avions de guerre dépassent les 2 000 km à l'heure.

En France, comme dans tous les pays développés, la chimie, la biologie et les industries de l'électronique ne cessent de progresser. La télévision, les transistors, le laser, les ordinateurs, les micro-processeurs font partie de notre environnement quotidien. Comme ailleurs en Europe et aux États-Unis, l'industrie des matières plastiques, l'industrie du froid, l'automobile, le développement des énergies pétrolière et nucléaire ont modifié notre manière de vivre en « l'américanisant », en la standardisant et en lui faisant peut-être un peu perdre de son âme française.

Journal publié le lendemain de la traversée de la Manche par Blériot.

L'Airbus (son premier vol eut lieu le 28 octobre 1972).

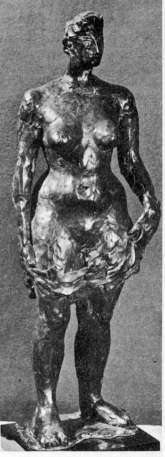

Dans le domaine de la création artistique, chacun conserve sa personnalité. La littérature française du xxᵉ siècle est connue dans le monde entier grâce à des écrivains comme Camus, Jean-Paul Sartre, Simone de Beauvoir, Michel Butor, Alain Robbe-Grillet, Nathalie Sarraute, Samuel Beckett, Ionesco, Raymond Queneau, Marguerite Yourcenar.

Il en est de même de musiciens comme Pierre Boulez, Olivier Messiaen, Pierre Henry. Des peintres, des sculpteurs comme Matisse (1869-1954), Dubuffet, Mathieu, Vasarely, Germaine Richier (1904-1959) ont apporté une forme d'expression neuve. On la trouve aussi bien dans ce *Portrait de jeune fille,* peint par Matisse en 1942, que dans ce bronze de Germaine Richier datant lui aussi de 1942.

Les anges et les diables de Notre-Dame veillent sur Paris depuis des siècles. À leur pied, les immeubles anciens aux célèbres toits de zinc hérissés de cheminées. Mais le monde moderne a surgi. Et les tours de verre et de béton, arrogantes et massives, sont là pour témoigner que le XXe siècle finissant se veut aussi bâtisseur, mais que l'ingénieur a remplacé l'architecte.

Chronologie

— **1,9/ — 1,8** millions d'années : **Homo erectus.**

— **400 000** : utilisation du feu.

— **80 000/ — 35 000** : **Homme de Néanderthal** ou Homo sapiens en Europe (La Chapelle aux Saints).

— **30 000** : **Homme de Cro Magnon** ou Homme moderne (Les Eyzies).

— **10 000/ — 5 000** : Âge de la pierre taillée.

— **5 000/ — 2 500** : Âge de la pierre polie.

— **58** : Début de la **conquête de la Gaule** par les Romains commandés par Jules César.
Soulèvement des Gaulois commandés par Vercingétorix.

— **52** : Siège d'Alésia. Capture de Vercingétorix.

1ᵉ - 3ᵉ s. ap.J.-C. : Paix romaine et christianisation de la Gaule.

258 : Les Francs franchissent le Rhin.

451 : Invasion des Huns avec, à leur tête, Attila.

476 : Fin de l'Empire romain d'Occident.

481-511 : **Clovis**, fils de Mérovée (448-457), roi des Francs saliens, 1ᵉʳ roi de France, fondateur de la dynastie mérovingienne.

v. 538-v. 594 : Grégoire de Tours écrit en latin une *Histoire des Francs.*

561 : Mort de Clotaire (511-561). Le royaume franc est partagé entre ses fils.

613 : Clotaire II, puis Dagobert, réunifient le royaume franc.

687 : Pépin de Herstal, maire du palais, évince les rois mérovingiens.

732 : Charles Martel arrête les Arabes à Poitiers.

752 : Pépin le Bref (714-768) dépose le dernier roi mérovingien.

768-814 : Règne de **Charlemagne.**

800 : Charlemagne est couronné empereur à Rome par le pape.

814-840 : Règne de Louis le Pieux.

842 : Serment de Strasbourg : premier texte écrit dans une langue qui est l'ancêtre du français.

843 : Traité de Verdun : Partage de l'Empire franc entre les fils de Louis le Pieux.

844 : **Premières invasions normandes importantes.**

885 : Le Comte Eudes défend Paris contre les Normands. Il est élu roi de France.

910 : Fondation de l'abbaye de Cluny.

911 : Traité de Saint-Clair-sur-Epte : une partie du territoire est cédée à Rollon, chef des Normands, et devient la Normandie.

987 : Avènement de **Hugues Capet** (941-996).
Fondation de la dynastie capétienne, à laquelle sont rattachées toutes les familles royales ayant ultérieurement régné en France.

1108 : Mariage du futur **Louis VII** (1137-1180) à Aliénor d'Aquitaine.

1152 : Origine de la guerre de Cent Ans : Henri Plantagenêt, héritier de la Normandie, de la Touraine, de l'Anjou et du Maine, épouse Aliénor d'Aquitaine, répudiée par Louis VII. Il entre en possession d'une partie de l'ouest de la France.

1180-1223 : Règne de **Philippe-Auguste,** fils de Louis VII.

1208 : Croisade contre les Albigeois.

1214 : Victoire de Bouvines (juillet).

1226-1270 : Règne de Louis IX, ou saint Louis.

1285 : Avènement de **Philippe IV le Bel,** qui règne jusqu'en 1314.

1307 : Arrestation des Templiers.

1328 : Avènement de **Philippe VI de Valois** (nouvelle dynastie).

1337 : Début de la **Guerre de Cent Ans.**

1345 : Naissance du Parlement de Paris.

1347-1350 : La **Peste noire.**

1355 : Opposition d'Étienne Marcel, prévôt des marchands de Paris, au pouvoir royal.

1360 : Traité de Calais : La France, battue à l'Écluse (1340), à Crécy (1346), à Poitiers (1347), laisse aux Anglais Calais et l'Aquitaine.

1364 : Avènement de **Charles V.**

1415 : Henri V d'Angleterre écrase les Français à Azincourt (25 oct.).

1429 : Jeanne d'Arc dégage Orléans et fait sacrer Charles VII à Reims.

1453 : Fin de la guerre de Cent Ans. Les Anglais ne gardent que Calais.

1461 : Avènement de **Louis XI** (1423-1483).

1494 : **Charles VIII** (1489-1498) fait la guerre en Italie.

1499 : **Louis XII** (roi de 1498 à 1515) s'empare de Milan et de Gênes.
Au cours des xve et xvie s., édification des **châteaux de la Loire** dans le Blésois, la Touraine et l'Anjou.

1515 : **François 1ᵉʳ** (roi de 1515 à 1547) bat les Suisses à Marignan.

Triomphe de l'**Humanisme** en littérature (Rabelais 1494-1550).

1534 : Jacques Cartier explore la côte est du Canada.

1547-1559 : Règne de Henri II. Formation de **La Pléiade,** réunion de sept poètes dont les plus célèbres sont Ronsard et du Bellay.

1562 : Début des **guerres de Religion.**

1572 : Massacre de la Saint-Barthélémy.

1589 : **Henri de Navarre** (Henri IV) fonde la dynastie des Bourbons. Il abjure le protestantisme en 1593.

1598 : Édit de Nantes.

1610 : Assassinat d'Henri IV. Régence de Marie de Medicis.

1624 : **Louis XII** appelle au Conseil des ministres le cardinal de Richelieu.

1635 : Fondation de l'**Académie française.**

1636-1656 : Pierre Corneille (1606-1684) donne ses pièces les plus célèbres dont *Le Cid* (1636), *Horace* (1640), *Polyeucte* (1641).

1637 : Descartes publie le *Discours de la Méthode.*

1643 : Mort de Louis XIII, régence d'Anne d'Autriche. Mazarin 1ᵉʳ ministre jusqu'en 1661.

1661 : Début du règne personnel de **Louis XIV** (1638-1715).

1659-1673 : Molière (1622-1673) écrit et fait jouer ses principales comédies : *Les Précieuses ridicules* (1659), *Dom Juan* (1665), *Le Misanthrope* (1668), *L'Avare* (1668), *Le Malade imaginaire* (1673).

1664-1691 : Triomphe du **classicisme.** Racine connaît le succès : ses tragédies les plus célèbres sont : *Andromaque* (1667), *Bérénice* (1670), *Phèdre* (1677), *Athalie* (1691).

1701 : Guerre de Succession d'Espagne.

1713 : Fin des guerres de Louis XIV.

1715 : Mort de Louis XIV. Régence de Philippe d'Orléans, pendant la minorité de **Louis XV** (1710-1774).

1748 : Début du règne de Louis XV.

1751-1772 : Publication de *l'Encyclopédie,* dirigée par d'Alembert et Diderot.

1750-1753 : Voltaire en Prusse.

1763 : Traité de Paris : la France perd ses possessions d'Amérique du Nord, garde les Antilles et cinq comptoirs en Inde.

1766 : Voyage de Bougainville.

1766 : La Lorraine devient française.

1768 : Gênes vend la Corse à la France.

1774 : Mort de Louis XV. Début du règne de **Louis XVI** (1754-1788). Révolte des Parlements contre le pouvoir royal.

1788 : Louis XVI décide de convoquer les États Généraux le 1er mai 1789 à Versailles.

1789-1799 : Révolution française.
1789 : Déclaration des Droits de l'Homme et du Citoyen (26 août).

1789 : Prise de la Bastille (14 juillet).

1792 : Abolition de la royauté (21 septembre). An I de la République (22 septembre).

1793 : Exécutions de Louis XVI (21 janvier) et de Marie-Antoinette (16 octobre).

1793 : Grande Terreur : 30 000 exécutions en 18 mois.

1793 : 1re coalition contre la France.

1794 (26 octobre) **:** Le Directoire.

1796 : Victoires de Bonaparte en Italie.

1798 : 2e coalition ; défaite maritime d'Aboukir (1er août).

1799 : Coup d'État de Brumaire : la Constitution de l'an VIII organise le régime du **Consulat** (15 décembre).

1800 : Création de la Banque de France.

1802 : Chateaubriand (1768-1848) publie le *Génie du christianisme.*

1804 : Sacre de Napoléon (2 décembre). Entrée en application du Code civil.

1805 : 3e coalition. Défaite maritime de Trafalgar mais victoires, sur terre, à Ulm et Austerlitz.

1810 : Napoléon épouse Marie-Louise d'Autriche.

1812 : Début de la campagne de Russie.

1813 : Début des guerres nationales en Allemagne contre Napoléon.

1814 : 1re abdication de Napoléon (4-6 avril). Restauration de la monarchie des Bourbons.
Louis XVIII (roi jusqu'en 1824) octroie la Charte constitutionnelle.

1815 : Les Cent Jours : retour de Napoléon.

1815 : Défaite de Waterloo (22 juin) : seconde abdication, départ pour Sainte-Hélène.

1815 : Le 2e traité de Paris (20 novembre) ramène la France à ses frontières de 1789.

1815 : Congrès de Vienne.

1824 : Charles X (1757-1830) succède à Louis XVIII.

1830 : Révolution de juillet (25 juillet). Louis-Philippe devient « roi des Français » : début de la monarchie de juillet. Début de la conquête de l'Algérie.

1830-1848 : Triomphe du **Romantisme** en littérature : Lamartine (1790-1869), Balzac (1799-1850), Hugo (1802-1885) ; et en peinture : Delacroix (1798-1863).

1848 : Révolution et proclamation de la deuxième République (24-25 février). Abolition de l'esclavage dans les colonies.

1848 (10 décembre) : **Louis Napoléon Bonaparte** élu Président de la République.

1851 (2 décembre) : Coup d'État ; Louis Napoléon devient « Prince Président » puis, en 1852, Napoléon III.

1852-1870 : Le Second Empire.

1857 : Faidherbe en Afrique. Fin de la conquête de l'Algérie. Début de la conquête de l'Indochine.

1860 : Début de la politique de libre-échange.

1861 : Expédition française au Mexique.

1864 : Reconnaissance du droit de grève en France ; Travaux du baron Haussmann à Paris.

1869 : Rétablissement du régime parlementaire.

1870 : Guerre franco-Allemande. Désastre français de Sedan (3 septembre). Chute de Napoléon et proclamation de la République (4 septembre).

1871 (mars-mai) : **Commune de Paris.**

1871 : Débuts de la **III⁰ République.** Présidence de Thiers.
Chute de Thiers ; Mac Mahon président ; Il tombe en 1877.

1880-1885 : Période Jules Ferry. Enseignement laïque. Enseignement secondaire pour les jeunes filles.
Expansion coloniale.

1881 : Libertés publiques de réunion et de presse.

1881 : La Tunisie devient protectorat.

1883 : L'Annam et le Tonkin deviennent protectorats.

1893 : Les socialistes font leur entrée au Parlement.

1895 : Naissance du syndicat C.G.T. (Confédération Générale du Travail.

1895 : Annexion de Madagascar.

1898 : Affaire Dreyfus ; rivalités coloniales.

1904 : Jaurès lance *L'Humanité.*

1913 : Poincaré élu Président de la République.

1914-1918 : Première Guerre mondiale qui se termine par la défaite de l'Allemagne et des Empires centraux.

1919 : Conférence de la paix. Traité de Versailles (28 juin).

1934 (6 février) : Échec des mouvements d'extrême droite à Paris.

1936 : Victoire du **Front populaire.**
Gouvernement de Léon Blum, qui démissionnera en juin 1937.

1938 : Conférence de Munich.

1939-1945 : Deuxième Guerre mondiale.

1944-1958 : IV⁰ République.

1947-1949 : Adhésion française au Pacte atlantique, puis à l'Organisation du Traité de l'Atlantique Nord (O.T.A.N.).

1949 (5 mai) : Adoption du statut du Conseil de l'Europe, qui siège à Strasbourg.

1948-1962 : Guerres de décolonisation : Indochine (1954), Algérie (1962).

1957 : Création de la C.E.E. qui instaure le Marché commun.

1958 : Début de la **V⁰ République.**

21 décembre : **De Gaulle** élu Président de la République.

1968 : « Révolution » de mai.

1969 : De Gaulle quitte le pouvoir. **Georges Pompidou** élu Président de la République (15 juin).

1974 : Mort du Président Pompidou.
Valéry Giscard d'Estaing élu Président.

1981 : Élection de **François Mitterrand** à la Présidence de la République.

Index

Administration : administrer, c'est gérer, diriger les affaires intérieures d'un État.

Annexion : rattachement d'un territoire à un État.

A.E.F. : Afrique Équatoriale Française.

A.O.F. : Afrique Occidentale Française.

Aqueduc : canalisation pour conduire l'eau.

Archéologue : personne qui explique le passé par l'étude des monuments, œuvres d'art, retrouvés le plus souvent au cours de fouilles.

Art roman : art qui s'est épanoui en Europe, du XIe au XIIe siècles. Il s'applique surtout à l'architecture religieuse. Son nom vient de « romain ».

Art gothique, ou ogival : art postérieur à l'art roman. L'architecture emploie la « croisée d'ogives », la technique s'est perfectionnée. Son nom vient de celui des « Goths » et signifie barbare (XIIe aux XVe siècles).

Artillerie : canons ; par extension, partie de l'armée qui utilisait ces armes.

Bailli : nom donné dans le nord à l'officier qui rendait la justice. Dans le sud, on l'appelle *sénéchal*.

Baroque : se dit d'un style compliqué et exubérant qui s'est répandu dans une partie de l'Europe de la deuxième moitié du XVIe au XVIIIe siècle.

Biens nationaux : biens qui, à la Révolution, avaient été pris à leurs propriétaires et déclarés propriété du peuple.

Bourgeois : citoyen d'une ville ; par extension, personne qui appartient à la classe moyenne ou dirigeante.

Capitalisme : régime économique dans lequel les moyens de production appartiennent à ceux qui ont investi des capitaux.

Citoyen : habitant d'un pays admis à participer à la vie politique de ce pays.

Colonie : territoire conquis et rattaché à la métropole.

Commune : association de bourgeois d'une même localité qui avaient le droit de s'administrer eux-mêmes.

Commune de Paris (la) : Mouvement insurrectionnel (18 mars-27 mai 1871) né après le siège de Paris et renversé par le gouvernement de Thiers, alors fixé à Versailles.

Constitution (politique) : loi qui fixe l'organisation politique d'un État, le fonctionnement des différents organes du gouvernement et de l'administration et les droits du citoyen.

Conversion : action d'amener à croire ou de changer de croyance (c'est le cas ici).

Cosmopolitisme : le fait de se considérer comme citoyen du Monde et pas seulement de son pays.

Cour : résidence (et entourage) du roi.

Coup d'État : action illégale destinée à prendre le pouvoir politique par la force.

Croisade : expédition chrétienne contre les non-chrétiens, en particulier en Terre sainte, pour reconquérir Jérusalem.

Déclaration des Droits de l'Homme et du citoyen : elle fut votée par l'Assemblée constituante, le 26 août 1789, pour affirmer les droits de tous les hommes, quelles que soient leur nationalité, leur race ou leur religion.

Déluge : d'après la Bible, débordement universel des eaux, à la suite de pluies prolongées.

Diplomatie : science des rapports internationaux.

Doctorat : grade de docteur.

Dynastie : série de souverains appartenant à la même famille.

Émigration : acte de celui qui quitte son pays pour aller s'établir dans un autre.

Empereur : chef d'un empire (État).

Ère : point de départ d'une succession d'années quand il s'agit de dater les événements.

Esclavage : état de dépendance et de servitude vis-à-vis d'une autorité supérieure.

Expansion : développement.

Féminisme : volonté d'augmenter les droits des femmes dans la société.

Féodalité : lois, coutumes politiques et sociales dans une partie de l'Europe au Moyen Âge.

Forteresse : lieu fortifié, défendu avec des moyens militaires.

Fossiles : reste, trace ou empreinte de plante ou d'animal anciens, conservés dans une roche.

Franchises : privilèges, pour une ville.

Fresque : peinture exécutée sur un mur qui a été recouvert d'un enduit spécial.

Frontière : limite séparant deux États.

Grotte (ou caverne) : vaste espace creux dans la pierre.

Guerre civile : guerre entre citoyens d'un même pays.

Hérétique : personne qui s'oppose aux croyances officielles d'une église. Il soutient une hérésie.

Humanistes : écrivains, savants, qui avaient remis à l'honneur, au xvie siècle, l'étude des langues et des littératures anciennes (grecque et romaine surtout).

Impôt : contribution financière exigée par l'État. Sous Louis XIV, on distingue : les impôts directs, perçus directement par le roi, comme la *taille* (impôt perçu sur les biens ou revenus des roturiers) ; la *capitation* (une taxe par tête) ; les *vingtièmes* (impôts sur le revenu) ; et les impôts indirects, comme la *gabelle* (impôt sur le sel) ou les *aides* (impôts sur les boissons).

Indulgence : remise de leurs péchés promise aux fidèles catholiques qui, après s'être confessés, versaient une aumône.

Inflation : déséquilibre économique : un excès de monnaie en circulation provoque une hausse générale des prix.

Lettré(e) : homme (ou femme) savant(e).

Libéralisme : doctrine de ceux qui sont pour la libre entreprise.

Libre-échange : commerce entre nations sans interdits ni droits de douane.

Licence : grade universitaire.

Manuscrit : texte écrit à la main.

Martyr : qui a préféré mourir que de renoncer à sa foi.

Médiéval : qui se rapporte au Moyen Âge.

Mégalithique : construction préhistorique en grosses pierres.

Mésentente : mauvaise entente, dispute.

Missi dominici : expression latine signifiant « envoyés du maître ».

Monarchie absolue : système politique dans lequel le roi a tous les pouvoirs.

Monarchie constitutionnelle : système politique dans lequel les pouvoirs du roi sont limités par une constitution.

Municipalité : ville qui a un maire.

Nationalisation : une entreprise nationalisée est une entreprise qui est sous le contrôle de l'État.

Noble : homme qui, par sa naissance, faisait partie des puissants et des privilégiés.

Planification indicative : l'État indique ce qui doit être réalisé dans un temps donné.

Privilèges : avantages.

Profits : gains dont l'origine se trouve dans l'excédent du prix de vente sur le prix de revient.

Protectorat : territoire étranger placé sous la protection d'un autre État, notamment pour ce qui concerne ses relations extérieures et sa sécurité.

Référendum : consultation directe des citoyens.

Réformes : changements en vue d'améliorer une situation.

Régence : gouvernement provisoire, pendant l'absence ou la minorité d'un souverain.

Régime parlementaire : gouvernement dans lequel le Parlement (des Assemblées d'hommes élus) limite le pouvoir exécutif.

Restauration : rétablissement de la dynastie des Bourbons (xixe siècle).

Revendications : réclamations.

Sabotage : action de détruire volontairement du matériel.

Satire : petite pièce en vers qui attaque et se moque des habitudes de son temps.

Souveraineté nationale : l'autorité suprême et le droit de faire la loi sont entre les mains de toute la population.

Suffrage censitaire : n'ont le droit de voter que ceux qui ont payé un minimum d'impôt direct : le cens.

Suffrage indirect : les citoyens élisent des électeurs et non des députés.

Suffrage universel : tous les citoyens ont le droit de voter.

Templiers : ordre militaire et religieux fondé en 1119. En 1307, Philippe le Bel qui voulait s'emparer de leurs richesses, fit arrêter tous ceux qui se trouvaient en France.

Thèse : ouvrage écrit pour obtenir le grade universitaire de docteur.

Tonneau : récipient en bois.

Traité : accord écrit entre deux gouvernements.

Triomphe : à Rome, grande fête en l'honneur des généraux vainqueurs.

Trouvères et troubadours : on appelle trouvères au nord de la France, troubadours au sud, des poètes musiciens ambulants qui, au Moyen Âge, se rendaient de château en château pour y chanter les chansons de geste. Les trouvères parlaient la langue d'oïl, les troubadours, la langue d'oc.

Tyrannie : pouvoir souverain dû à la faveur populaire, qui veut devenir dictatorial.

Universités : établissements d'enseignement supérieur.

Illustrations

Archives photographiques : p. 23.
Bibliothèque Nationale/Hachette : pp. 24, 25, 32, 77.
Clarendon Press (Oxford) : p. 52.
J.-F. Doré : p. 38 (2).
Feher : p. 6.
Giraudon : pp. 9 (3), 102 (1), © ADAGP.
Hachette : pp. 5 (1, 2, 3), 9 (1, 2), 15, 17 (1, 2), 18 (1, 2), 21 (2), 24, 29, 31, 36 (2), 38 (1), 39 (1, 2), 40, 41 (1, 2), 44, 49, 50, 53, 57 (1, 2), 59, 62, 64, 66, 69, 75, 78, 80, 81 (2), 85, 88, 90, 101 (1, 2).
Lapie (photothèque française) : p. 37 (2, 3).
Michaud : pp. 13, 98.
Neurdein : p. 37 (1).
I N Phelps Stokes Collection of America, Historical Prints : p. 47.
Roger-Viollet : p. 27 (2).
Jean Roubier : pp. 27 (1), 30.
de Sazo/Rapho : p. 103.
Vaering : p. 12.
Marc Vaux : p. 102 (2), © ADAGP.
Jean Vertut : p. 8.

Les illustrations de la couverture et de la page 61 sont de **Barbara de Brunhoff.**

Imprimé en France, par Hemmerlé, Petit et Cie. Paris. 2750-08-1982
Dépôt légal n° 5393-08-1982. Collection n° 06. Édition n° 02

⟨H⟩   15/4612/6.